Conversar sin parar

George Rooks
Diana E. Scholberg **Kenneth R. Scholberg**

NEWBURY HOUSE PUBLISHERS
A division of HarperCollins*Publishers*

Library of Congress Cataloging in Publication Data

Rooks, George.
Conversar sin parar.

Summary: Groupings of questions on particular topics designed to promote active classroom conversation among students who are familiar with the basic structure and elementary vocabulary of Spanish.
1. Spanish language--Conversation and phrase books. [1. Spanish language--Conversation and phrase books] I. Scholberg, Kenneth R. II. Scholberg, Diana E., 1926– III. Title.
PC4121.R56 468.3'421 81-14065
ISBN 0-88377-222-1 AACR2

Cover and interior book design by Edith Allard of Designworks.

NEWBURY HOUSE PUBLISHERS
A division of HarperCollins*Publishers*

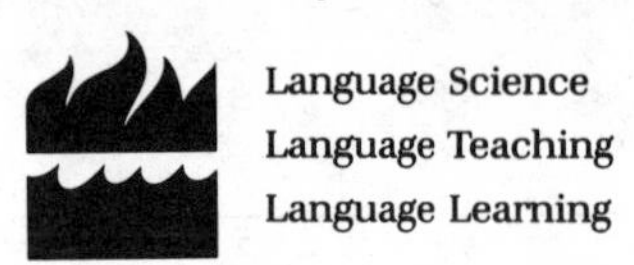

First printing: March 1982
Printed in the U.S.A. 10
63-24925

Preface

Conversar sin parar is a text inspired by George Rooks' *The Non-Stop Discussion Workbook* (Newbury House Publishers, Inc., 1981), widely used in ESL courses. This Spanish workbook is designed for intermediate college or advanced high school classes in which conversation is a major component. The student is assumed to be familiar with the basic structure of the Spanish language and with the vocabulary generally studied in elementary courses.

As most instructors already know, one of the main problems in conversation classes is that the teacher often gets more practice than the students. Another common difficulty is that three or four students participate eagerly while many of the others sit back and make only the briefest comments or none at all. The aim of this book is to generate discussions in which *all* the students take part. To accomplish this, students are given stimulating problems which they must work through and solve. The situations are extremely varied, ranging from matters of life and death to investing an inheritance to planning a TV schedule. Some subjects are hypothetical, others are down-to-earth and practical.

The order in which the twenty-eight topics appear is not sacrosanct. Teachers may prefer to skip around, or omit some problems completely. Most of the units can be covered in one class period; several might profitably be extended to a second meeting. Generally speaking, the later units are somewhat more difficult than the earlier ones, but not enough so as to make them unusable in the first part of the course. (However, the student might need to refer more frequently to the end vocabulary for meaning of words which were defined in earlier lessons.)

Instructors should feel free to be flexible in their handling of the material. After all, they are the people who know best what techniques work for their students and themselves. However, we offer a method of presentation based on our own teaching experience:

I. Preparation

It is important that the students prepare in advance for each class meeting. They should review the vocabulary at the beginning of each unit and then read through the material. (Note that vocabulary definitions are given only as they apply to the particular situation.) In every unit, quite specific judgments and decisions are called for. Students should think carefully about these and make some brief notes on their views in the spaces the book provides. It would be helpful for students to have access to a dictionary when additional vocabulary is needed.

II. Class discussion

Stage 1 (30–40 minutes). A good classroom technique is to divide students into several small groups of perhaps five or six members. This tends to help them feel at ease and talk more freely. All members discuss a problem, compare, defend and explain their recommendations and try to come to a solution which the whole group supports. If this is not possible, they may have majority and minority opinions. The instructor should circulate among the groups, listening in on the conversations and resolving any language difficulties that arise.

Stage 2 (10–15 minutes). It is now time to compare solutions or decisions. One member from each group can be responsible for outlining briefly its choices, possibly in chart form on the blackboard. The teacher, acting as moderator, can solicit comments on similarities and differences and ask some members to explain the reasons for their choices.

Stage 3. Follow-up activities are also possible if students are interested in and capable of pursuing a problem further. For example, in the case of "¿Quién recibirá el corazón?", the teacher might ask "¿Quién debe tener el poder de decidir cuestiones de vida y muerte tales como ésta?" or "Definan las normas que se deben usar para hacer la decisión". If time permits, the questions can be taken up before the period is over; otherwise they might be discussed at the next meeting. For those courses which include composition, such questions might be assigned for a written theme.

We want to repeat that the classroom presentation outlined above need not—and should not—be followed slavishly. Variety and changes of pace help keep students and teacher enthusiastic.

******

We wish to thank Professor Juan A. Calvo-Costa of Michigan State University and Ms. Elizabeth Lantz of Newbury House for their careful reading of the manuscript and their many helpful suggestions.

Contents

Problema **Page**

Credits and Permissions

The authors and the publisher extend their thanks to the people and the source organizations cited below for permission to use the photographs in this book.

Photograph for unit 1: Mexican Government Tourism Office.

Photographs for units 2 and 3: Boston Herald American.

Photographs for unit 3: Central Office of Information, London, U.K., Crown Copyright Reserved; Consulate General of India; Consulate General of Spain; Courtesy of the Hispanic Society of America, New York; Consulate General of Israel; New York Yankees.

Photographs for units 4 and 18: Harold M. Lambert.

Photograph for unit 5: National Archives.

Photograph for unit 6: Courtesy of SIN National Spanish Television Network.

Photograph for unit 7: Edward C. Topple, New York Stock Exchange photographer.

Photograph for unit 8: U.S. Navy.

Photograph for unit 9: Miami-Metro Department of Publicity and Tourism.

Photograph for unit 10: Citicorp.

Photograph for unit 13: Ewing Galloway, N.Y.

Photograph for unit 14: Courteously supplied by Franklin Reed, Tenneco, Inc.

Photograph for unit 16: Los Alamos National Laboratory.

Photographs for units 17, 21, 22, 26, and 27: H. Armstrong Roberts.

Photograph for unit 19: United Nations.

Photograph for unit 20: NASA.

Photograph for unit 23: Courtesy of the United Way.

Photograph for unit 24: Bill Lane, Courtesy of the Newburyport Daily News.

Photograph for unit 25: Puerto Rican Information Service.

Conversar sin parar

SALVAVIDAS

Problema I: ¿Qué sitios recomiendan Uds.?

Vocabulario

abonado subscriber
acogedor hospitable
adinerado wealthy, well-off
articulista (m.f.) columnist
ascendencia origin
contratiempo mishap
encargar to commission
escala stopover
fidedigno trustworthy
haber de to be supposed to
venir bien to be convenient, suitable
veranear to spend the summer vacation

La situación

El periódico metropolitano donde trabajan Uds. se propone publicar un número extraordinario sobre el turismo. Es primavera y muchos abonados han escrito al director del periódico pidiendo consejos sobre lugares amenos donde pasar las vacaciones de verano. Algunas preguntas muy frecuentes son: "¿Dónde puedo tomarme unas semanas de descanso?" y "¿Qué viaje económico me recomienda?"

El director les ha encargado a Uds., un grupo de articulistas conocedores del turismo, que preparen recomendaciones sobre los mejores sitios para veranear. Uds. pueden considerar sitios que hayan visitado o bien que conozcan por medio de informes fidedignos. Para que los vacacionistas no sufran contratiempos, Uds. han de preparar también una lista de lugares que deben evitarse y explicar el porqué.

Consideraciones

1. Para que haya diversidad, por lo menos un lugar de cada lista debe estar fuera de los Estados Unidos continentales.

2. Ya que muchos abonados al periódico son de ascendencia hispánica, vendría bien recomendar, en lo posible, lugares donde se hable español.

3. Para esta tarea, les puede ser útil un atlas.

Decisiones

A. Los tres lugares más económicos para el turista

1. ______________________________
2. ______________________________
3. ______________________________

B. Los tres lugares mejores para descansar

1. ______________________________
2. ______________________________
3. ______________________________

C. Los tres lugares con la gente más simpática y acogedora

1. ______________________________
2. ______________________________
3. ______________________________

D. Las tres ciudades más estupendas para los turistas adinerados

1. ______________________________
2. ______________________________
3. ______________________________

E. Los tres lugares más bellos

1. ______________________________
2. ______________________________
3. ______________________________

F. Los tres lugares peores para el turista

1. ______________________ Razón: ______________________

2. ______________________ Razón: ______________________

3. ______________________ Razón: ______________________

G. Una línea aérea ofrece un precio especial a todo viajero que quiera "dar la vuelta al mundo", con escala en diez lugares. Como ayuda a los lectores del periódico, preparen Uds. un viaje "modelo", partiendo de Chicago, y expliquen por qué han escogido estos lugares:

1. ______________________ ¿Por qué? ______________________

2. ______________________ ¿Por qué? ______________________

3. ______________________ ¿Por qué? ______________________

4. ______________________ ¿Por qué? ______________________

5. ______________________ ¿Por qué ______________________

6. ______________________ ¿Por qué? ______________________

7. ______________________ ¿Por qué? ______________________

8. ______________________ ¿Por qué? ______________________

9. ______________________ ¿Por qué? ______________________

10. ______________________ ¿Por qué? ______________________

Problema II: ¿Quién recibe la gasolina?

Vocabulario

afrontar to face
continuación; a_____ below, later
eficacia effectiveness
imparcialidad fairness
impuesto tax
llamamiento appeal
manejar to drive
medida measure
proveer to provide
repartir to distribute
soler (ue) to be accustomed to
tocar(le) a uno to be one's concern
vigor; poner en _____ to put into effect

La situación

La nación afronta una crisis: varios países extranjeros que nos proveen de petróleo han suspendido sus envíos. Muy pronto no tendremos a nuestra disposición más que la mitad de la gasolina que solemos usar.

El Jefe del Ministerio de Energía les ha reunido a Uds., los subdirectores, en sesión extraordinaria a fin de tomar medidas de urgencia. Les ha pedido que consideren una serie de posibles procedimientos, que se indican a continuación. Uds. tienen que determinar tanto la eficacia como la imparcialidad de cada procedimiento (1 = muy deseable; 2 = regular; 3 = no deseable), dando sus razones, y luego recomendar si se debe poner en vigor.

Consideraciones

1. Según la ley, le toca al Ministerio de Energía decidir cómo reducir en un 50% el consumo de gasolina.

2. Uds. tienen la obligación de hacer el menor daño posible a la gente y a la economía del país.

Decisiones

1. Cobrar un impuesto adicional de $0,50 por litro (aproximadamente $2,00 por galón) de gasolina.

   Eficacia de la propuesta: (1) _____ (2) _____ (3) _____

   Imparcialidad de la propuesta: (1) _____ (2) _____ (3) _____

   Razones: ______________________________

   Recomendación: ______________________________

2. Prohibir a la gente el uso del automóvil los fines de semana, con la excepción de las personas que tienen que ir al trabajo estos días.

   Eficacia de la propuesta: (1) _____ (2) _____ (3) _____

   Imparcialidad de la propuesta: (1) _____ (2) _____ (3) _____

   Razones: ______________________________

   Recomendación: ______________________________

3. Racionar la gasolina, concediendo a cada dueño de auto el derecho de comprar 20 litros (5+ galones) por semana mientras dure la crisis.

   Eficacia de la propuesta: (1) _____ (2) _____ (3) _____

   Imparcialidad de la propuesta: (1) _____ (2) _____ (3) _____

   Razones: ______________________________

   Recomendación: ______________________________

4. Hacer un llamamiento a todos los ciudadanos—por televisión, radio, periódicos y revistas—para que no manejen el coche de no ser absolutamente necesario.

   Eficacia de la propuesta: (1) _____ (2) _____ (3) _____

Imparcialidad de la propuesta: (1) ______ (2) ______ (3) ______

Razones: ____

Recomendación: ____

5. Permitir que cada dueño de automóvil llene el tanque solamente una vez cada diez días.

   Eficacia de la propuesta: (1) ______ (2) ______ (3) ______

   Imparcialidad de la propuesta: (1) ______ (2) ______ (3) ______

   Razones: ____

   Recomendación: ____

6. Avisar al gobernador de cada uno de los estados que la población tendrá que reducir en un 50% el consumo de gasolina y dejar que los gobernadores y sus consejeros resuelvan el problema.

   Eficacia de la propuesta: (1) ______ (2) ______ (3) ______

   Imparcialidad de la propuesta: (1) ______ (2) ______ (3) ______

   Razones: ____

   Recomendación: ____

7. ¿Otro plan? ____

   ____

   Eficacia de la propuesta: (1) ______ (2) ______ (3) ______

   Imparcialidad de la propuesta: (1) ______ (2) ______ (3) ______

   Razones: ____

   Recomendación: ____

NY

Problema III: ¿A quiénes se invita a cenar?

Vocabulario

ahí; de ______ hence
ámbito field, sphere
anfitrión, -a host, hostess
dotado (de) endowed (with)
llevarse bien to get along well
odiar to hate
parar to stop
velada social gathering

La situación

¡Uds. van a ofrecer la cena más extraordinaria de la historia! Dotados del poder de parar el tiempo, pueden invitar a su cena a 12 personas de cualquier época. De ahí el problema: ¿a qué 12 personas invitarán Uds. a esta velada inolvidable?

Consideraciones

1. Naturalmente Uds. tendrán sus propias preferencias, pero los invitados también deben ser personas que sean sociables y puedan conversar en un ambiente íntimo. No es nada deseable invitar a individuos que se odien mutuamente.

2. Es mejor que no todos los invitados sean representantes de la misma esfera de actividades (por ejemplo, la política o los deportes). Muchas veces personas de diferentes ámbitos se llevan muy bien.

3. He aquí algunos nombres que Uds. pueden considerar. Pero deben incluir por lo menos a dos personas cuyos nombres no estén en esta lista:

Pelé
Albert Einstein
Mahoma
Buda
Jesús
Sigmund Freud
Jacqueline Kennedy Onassis
Adán
Eva
Fidel Castro
Johnny Carson
Cristóbal Colón
John Lennon
César Chávez
Charles Darwin
Francisco Franco
Simón Bolívar
Napoleón
Cleopatra
Richard Nixon
Shakespeare
Leonardo da Vinci
Santa Teresa
el "Coronel" Sanders
Bjorn Borg
Anwar Sadat
Yassir Arafat
Walt Disney
Madame Curie
Miguel de Cervantes
Moisés
Abraham Lincoln
Humphrey Bogart
Hernán Cortés
La actual "Miss Universo"
Evita Perón
Pablo Picasso
Barbara Walters
Leo Tolstoy
Sócrates
Julio César
Marco Polo
Ludwig von Beethoven
Joan Baez
La Reina Victoria
Francisco Goya
Moctezuma
Indira Gandhi

Decisiones

A. Preparen Uds. la lista de los invitados:

Invitado	¿Por qué se le invita?
1. ______	______
2. ______	______
3. ______	______
4. ______	______
5. ______	______
6. ______	______
7. ______	______
8. ______	______
9. ______	______

	Invitado	¿Por qué se le invita?
10.	______________________	______________________
11.	______________________	______________________
12.	______________________	______________________

B. Para asegurar el éxito de una cena, un buen anfitrión planea de antemano dónde sentar a los invitados para que cada uno tenga personas simpáticas con quienes charlar (después de la cena, claro, todos circulan y conversan libremente). Decidan Uds. qué puesto va a ocupar cada invitado y expliquen el porqué.

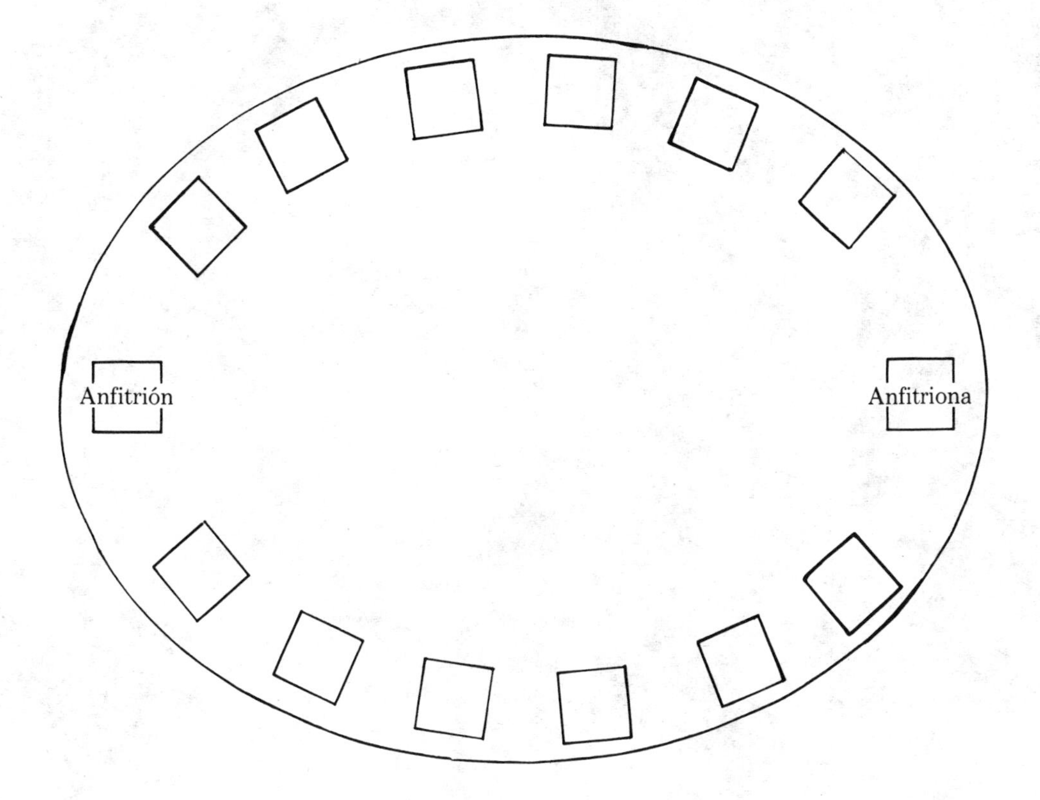

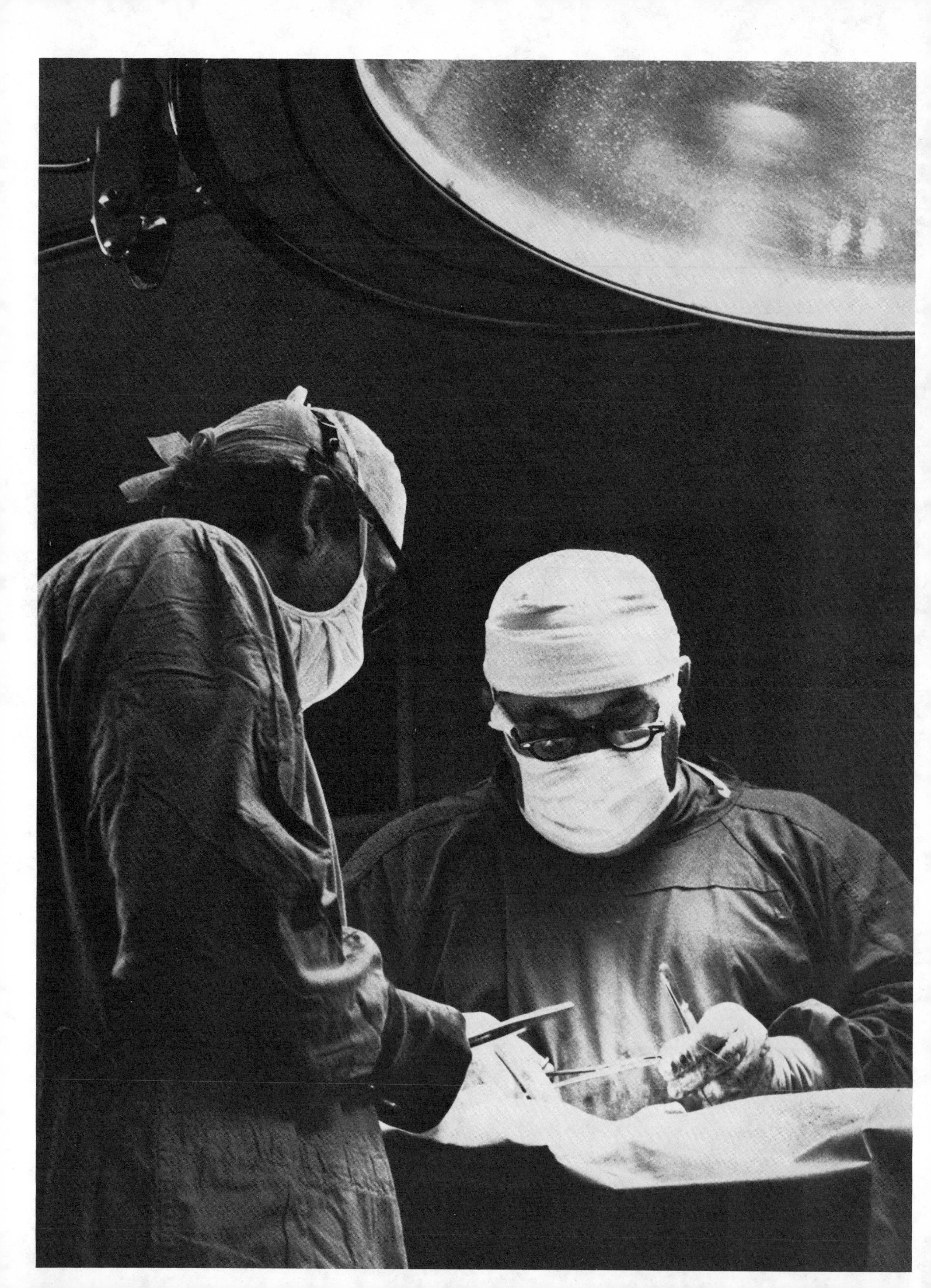

Problema IV: ¿Quién recibirá el corazón?

Vocabulario

asistencia social welfare
catedrático professor
cirujano surgeon
cuenta; tener en ______ to take into account
destacado outstanding
disponible available
junta consultiva advisory board
matriculado enrolled
mutilado de guerra war wounded
riñón (m.) kidney
siderúrgico (adj.) of steel
soltero unmarried

La situación

Uds. son miembros de la junta consultiva del hospital más importante de Washington. Es su responsabilidad decidir, teniendo en cuenta las normas éticas más elevadas, qué pacientes tendrán más derecho a recibir un trasplante de órganos humanos (riñón, corazón, etc.). Acaba de llegar la noticia de que está disponible para trasplante el corazón de un joven estudiante, víctima de un horrible accidente de carretera. En este momento hay varios pacientes, todos gravemente enfermos, que necesitan un nuevo corazón. Desde el punto de vista médico, el trasplante de este corazón probablemente tendría éxito en seis de los pacientes. Hay que decidir inmediatamente a cuál de ellos se le debe efectuar el trasplante.

Consideraciones

1. El éxito del trasplante no depende ni de la edad ni del sexo del recipiente; es decir, el corazón del joven puede funcionar en el cuerpo de una persona mayor, sea hombre o mujer.

2. Ninguno de los pacientes sufre de otra enfermedad (cáncer, diabetes, etc.) que pueda causar dificultades durante la operación o después.

Decisiones

Paciente 1: Jonas K____, de 55 años de edad. Empleado en una fábrica siderúrgica. Él y su esposa Sara, de 43 años, tienen cinco hijos, todos de edad escolar (entre 8 y 18 años).

Argumentos en pro de darle el corazón: ____________________

Argumentos en contra: ______________________________

Orden de prioridad: __________________

Paciente 2: Elena R_____, de 36 años de edad. Es la soprano más destacada de la Compañía Nacional de Ópera. La señora R. es divorciada y tiene una hija, de 3 años de edad.

Argumentos en pro de darle el corazón: ____________________

Argumentos en contra: ______________________________

Orden de prioridad: __________________

Paciente 3: Donald J_____, de 42 años de edad. Catedrático de la Universidad de Washington, se especializa en la investigación de enfermedades de origen bacteriológico. Se le considera una de las máximas autoridades mundiales en la materia. El señor J. es soltero.

Argumentos en pro de darle el corazón: ____________________

Argumentos en contra: ______________________________

Orden de prioridad: __________________

Paciente 4: Carlos W______, de 19 años de edad. Hijo de un embajador, Carlos está matriculado en el primer año de estudios premédicos. Es su ambición llegar a ser cirujano.

Argumentos en pro de darle el corazón: ____________________

Argumentos en contra: ___________________________________

Orden de prioridad: ___________________

Paciente 5: Franklin B______ III, de 61 años de edad. Es gobernador de un importante estado del oeste. Viudo desde hace un año, tiene tres hijos adultos y cinco nietos.

Argumentos en pro de darle el corazón: ____________________

Argumentos en contra: ___________________________________

Orden de prioridad: ___________________

Paciente 6: María M______, de 39 años de edad. El esposo de María es mutilado de guerra; tienen tres niños. La familia recibe asistencia social del estado.

Argumentos en pro de darle el corazón: ____________________

Argumentos en contra: ___________________________________

Orden de prioridad: ___________________

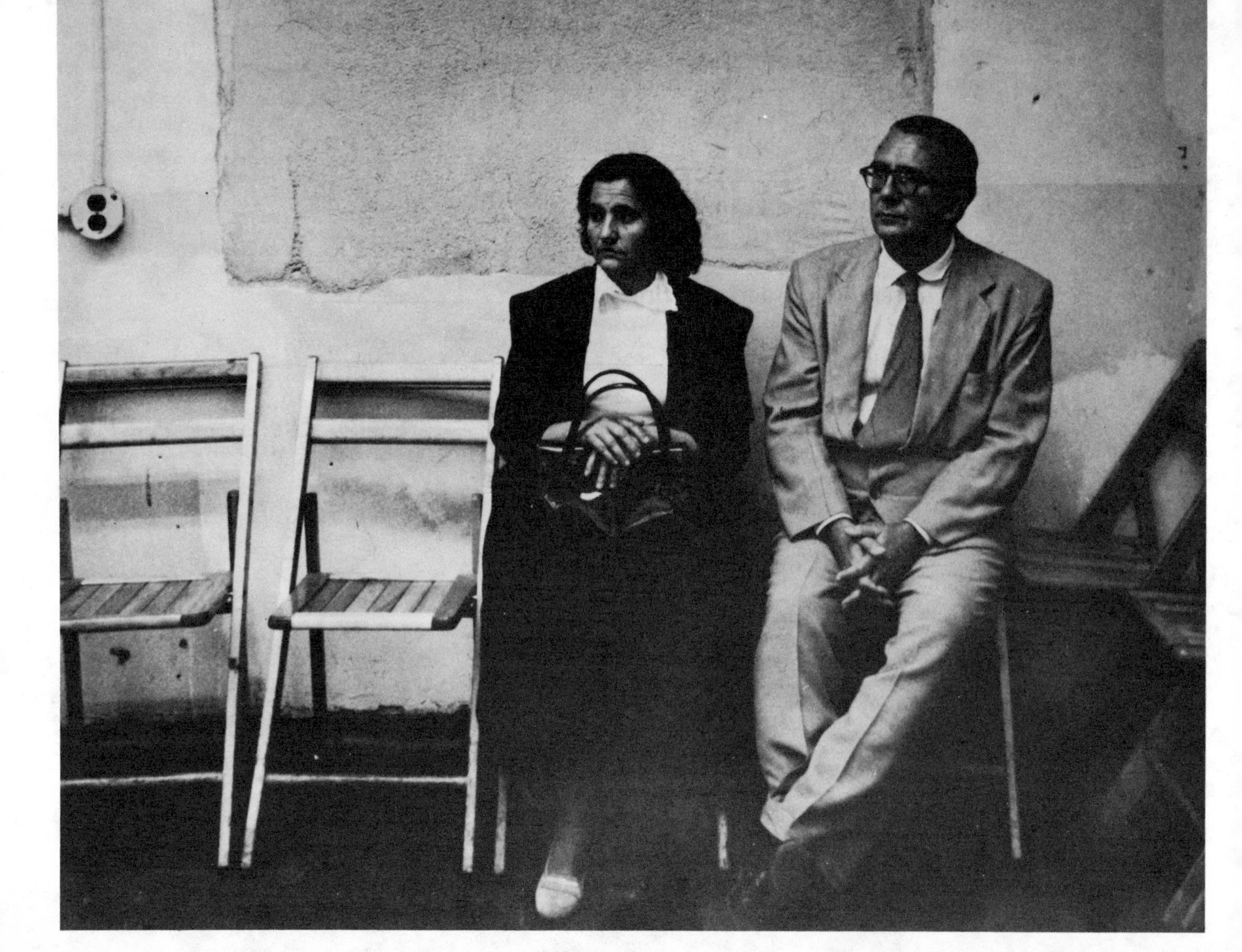
LAMENTAMOS
NO PODER ATENDERLO
SI NO TIENE
LA TARJETA
DE REGISTRO AZUL
DEL "CUBAN REFUGEE
CENTER"
I.R.C.

Problema V: ¿A quiénes admitimos?

Vocabulario

alienado insane, mentally ill
concretar to be specific, specify
detener to detain
encarcelado imprisoned
fracaso failure
indocumentado without papers (i.e., visa, entry permit)
pariente (m.) relative
política policy
provecho; de _____ useful

La situación

Por fin el gobierno reconoce que la política nacional de inmigración ha sido un fracaso. Ahora hay que considerar nuevas leyes sobre la inmigración y los legisladores les piden ayuda a Uds., expertos en este asunto. Uds. van a aconsejarles sobre las decisiones básicas que se deben tomar para establecer una nueva política de inmigración.

Consideraciones

1. Aunque Estados Unidos ha sido un país acogedor de inmigrantes, actualmente no es posible admitir a todos los que quisieran venir.

2. Al tomar las decisiones es importante tener en cuenta tanto los factores humanitarios como los económicos.

Decisiones

1. En total, ¿cuántos nuevos inmigrantes deben ser admitidos al país

   anualmente? ____

   ¿Por qué se han decidido Uds. por esta cantidad? ____________

   ____

2. ¿Se debe limitar el número de inmigrantes según el país o continente de origen o es mejor seguir una política de "quien pide entrada primero, entra primero"? ____________________

____

Razón ____________________

3. Indiquen Uds. el orden de prioridad (del 1 al 5) que debe recibir cada categoría de posibles inmigrantes:

   a. Disidentes políticos de países totalitarios: ____________

   b. Personas que tengan algún pariente cercano ya establecido en EE. UU.: ____________

   c. Personas pobres que quieran mejorar su situación económica:

   ____

   d. Profesionales que tengan conocimientos o habilidades que sean de provecho para este país (como científicos, ingenieros, matemáticos, etc.): ____________

   e. ¿Otras categorías? (Concreten Uds.) ____________

   Explicación de las preferencias: ____________

   ____

4. Decidan Uds. si se deben excluir por completo las siguientes categorías de posibles inmigrantes:

   a. Comunistas o ex-comunistas. Sí ______ No ______ .

   Razón: ____________________

b. Nazis o ex-nazis. Sí ______ No ______.

Razón: ____

c. Personas que fueron encarceladas por algún crimen. Sí ______

No ______.

Razón: ____

d. Alienados. Sí ______ No ______.

Razón: ____

e. Alcohólicos. Sí ______ No ______.

Razón: ____

5. ¿Qué se debe hacer en cuanto a los extranjeros indocumentados que ya se encuentran en el país? (Escojan una de las siguientes posibilidades.)
   a. Devolver a su país de origen a todos los que sean detenidos.
   b. Permitir que todos se queden aquí.
   c. Permitir que se queden solamente los que tengan empleo.
   d. Dejar que el Servicio de Inmigración y Naturalización tome la decisión, considerando cada caso individualmente.

   e. ¿Otra posibilidad? (Concreten __________________________)

   Expliquen su decisión: ______________________________

   ____

6. Sugieran Uds. dos medidas que deban tomarse para que no entren al país más inmigrantes ilegales:

   a. ____

   b. ____

DESTINO

Problema VI: "Interviú"

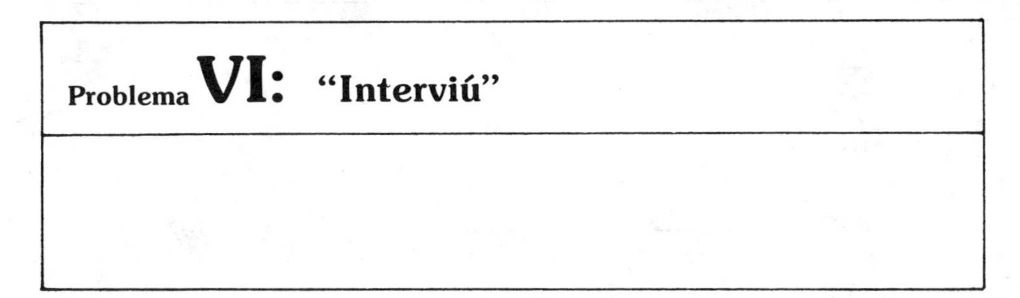

Vocabulario

agudo sharp, searching
bienvenida; dar la_____ to welcome
entrevista interview
inequívoco unambiguous
locutor announcer, commentator
presupuesto budget
telespectador T.V. viewer

La situación

Uds. son miembros de un grupo que está planeando una nueva serie televisiva que se llamará "Interviú". Va a haber 13 programas semanales y en cada programa participará una de las personas más eminentes del mundo entero (como jefes de gobierno, conocidas figuras del cine o televisión, astronautas, etc.). El plan es éste: el locutor, después de dar la bienvenida al invitado, le hará una pregunta inicial; luego, los telespectadores podrán llamar por teléfono y hacerle otras preguntas.

Les toca a Uds. seleccionar a las 13 personas que serán invitadas a las entrevistas y preparar una aguda pregunta inicial para cada persona.

Consideraciones

1. El presupuesto para esta serie de programas es muy alto; los invitados podrán viajar con todos los gastos pagados y recibirán una remuneración generosa. Así es que Uds. pueden traer a quienes quieran de cualquier parte del mundo.

2. Los participantes tendrán la obligación de decir la verdad al contestar las preguntas que se les hagan.

3. Uds. deben formular cada pregunta de modo que no se pueda contestar simplemente sí o no, pero también deben hacerla lo más inequívoca posible.

Decisiones

Persona 1: ____________________

Pregunta: ____

Persona 2: ____________________

Pregunta: ____

Persona 3: ____________________

Pregunta: ____

Persona 4: ____________________

Pregunta: ____

Persona 5: ____________________

Pregunta: ____

Persona 6: ____________________

Pregunta: ____

Persona 7: ____________________

Pregunta: ____

Persona 8: ____________________

Pregunta: ____

Persona 9: ____________________

Pregunta: ____

Persona 10: ____________________

Pregunta: ____

Persona 11: ____________________

Pregunta: ____

Persona 12: ____________________

Pregunta: ____

Persona 13: ____________________

Pregunta: ____

4

Problema VII: ¿Cómo invertir la herencia?

Vocabulario

acción stock, share
ahorros; cuenta de ______ savings account
alfombra rug, carpet
bono bond
carreras; caballo de ______ race-horse
cuantioso substantial
editorial (f.) publishing house
emisora broadcasting station
estancia cattle ranch
invertir to invest
malgastar to squander
mazorca corn cob
parque de atracciones amusement park
petrolífero oil-bearing
sinfín (m.) endless number
taller (m.) shop

La situación

Hace un mes que Ud. recibió un telegrama que le notificaba que un tío suyo, de cuya existencia Ud. apenas se acordaba, acababa de morir. Con gran sorpresa suya, Ud. ha heredado dos millones de dólares. Pero para que no malgaste el dinero, su tío ha estipulado en el testamento que Ud. lo invierta en diez compañías o proyectos diferentes y que ninguno de ellos exceda del 20% del total. Ud. ha recibido un sinfín de consejos y ofertas y ahora ha llegado el momento de decidir; escoja las diez inversiones que le parezcan mejores.

Consideraciones

1. Es importante pesar las posibilidades de ganancias cuantiosas y los riesgos de perder el capital.

2. En la página siguiente aparece una lista de posibles inversiones. Ud. debe escoger por lo menos una inversión que no esté en esta lista.

Un condominio en Miami, Florida
Asociación en una emisora de televisión en Chicago
Acciones de la Telefónica
Monedas de oro mexicanas
Una obra de arte de Picasso
Acciones de una estancia en Texas
Opción para la compra de tierras petrolíferas en Washington
La producción de una versión musical de "Hamlet"
Una agencia de viajes en Detroit
Acciones del equipo de fútbol Cosmos
Concesión para un jardín de infancia tipo "Kinder-Care"
Una editorial que publica textos para estudiantes de lenguas extranjeras
Un parque de atracciones en San Diego
Acciones de la compañía IBM
Un caballo de carreras de un año de edad, hijo de Secretariat
Un hotel de lujo en Puerto Rico
El primer camping de nudistas del estado de Misisipí
Una cuenta de ahorros en un banco
Una invención que, se dice, producirá gasolina de las mazorcas
La concesión para un restaurante tipo "Kentucky Fried Chicken" en la Argentina
Bonos del gobierno
Un taller de reparaciones de autos japoneses
Acciones de un casino en Las Vegas

Decisiones

Inversión 1: ______________________________

Cantidad invertida: ______________________________

Razón: ______________________________

Inversión 2: ______________________________

Cantidad invertida: ______________________________

Razón: ______________________________

Inversión 3: ______________________________

Cantidad invertida: ______________________________

Razón: ______________________________

Inversión 4: ______________________________

Cantidad invertida: ______________________________

Razón: ______________________________

Inversión 5: ____________________

Cantidad invertida: ____________________

Razón: ____________________

Inversión 6: ____________________

Cantidad invertida: ____________________

Razón: ____________________

Inversión 7: ____________________

Cantidad invertida: ____________________

Razón: ____________________

Inversión 8: ____________________

Cantidad invertida: ____________________

Razón: ____________________

Inversión 9: ____________________

Cantidad invertida: ____________________

Razón: ____________________

Inversión 10: ____________________

Cantidad invertida: ____________________

Razón: ____________________

Problema VIII: ¿Cómo respondemos?

Vocabulario

acto; en el ______ at once
actualmente at present
amenaza threat
apoderarse de to seize
atenerse a to abide by, accept
atracar to dock
barco de reconocimiento reconnaissance ship
buque (m.) ship
demora delay
devolución return
disculpa apology
encargarse de to take charge of
enérgico forceful
juntarse con to join
procesar to put on trial
rescatar to rescue
subrayar to emphasize, underline
superpotencia superpower
tripulación crew

La situación

El Presidente del país acaba de saber que "Lagarta", una nación pequeña con la cual nuestro gobierno tiene tensas relaciones diplomáticas, se ha apoderado de uno de nuestros barcos de reconocimiento. Actualmente el barco está atracado en un puerto de esa remota nación y los 56 hombres de su tripulación corren el riesgo de ser procesados por espionaje.

El Presidente les pide a Uds., consejeros de seguridad nacional, que consideren las siguientes acciones y que le indiquen las principales ventajas e inconvenientes de cada una. También deben clasificarlas por orden de preferencia (1 = la más preferible).

Consideraciones

1. El barco contiene instrumentos electrónicos e información secreta que en manos de un adversario podrían constituir una grave amenaza para nuestro país.

2. El barco había de navegar solamente por aguas internacionales, pero según algunos buques de países neutrales que estaban en el área, parece que nuestro barco violó las aguas territoriales de "Lagarta".

Decisiones

Acción 1: Mandar tropas a "Lagarta" para recobrar el buque y libertar a los tripulantes.

Ventajas: ____________________

Desventajas: ____________________

Orden de preferencia: __________

Acción 2: Pedir a varios países aliados nuestros que se junten con nosotros en una acción militar con el fin de rescatar el barco y libertar a los tripulantes.

Ventajas: ____________________

Desventajas: ____________________

Orden de preferencia: __________

Acción 3: Enviar a "Lagarta" una carta de disculpa, admitiendo que el barco entró inadvertidamente en sus aguas territoriales y pidiendo la pronta devolución del mismo.

Ventajas: ____________________

Desventajas: ____________________

Orden de preferencia: __________

Acción 4: Enviar a "Lagarta" un ultimátum, mandándole que nos restituya en el acto el barco y su tripulación o que "se atenga a las consecuencias".

Ventajas: ____________________

Desventajas: ____________________

Orden de preferencia: __________

Acción 5: Dar cuenta del incidente a las Naciones Unidas, afirmando que el buque no llevaba misión militar ni de espionaje. Pedir que la organización internacional se encargue de la debida restitución.

Ventajas: ____________________

Desventajas: ____________________

Orden de preferencia: ____________

Acción 6: Apoderarse de un barco o de un avión de "Lagarta" y retenerlo hasta que su gobierno ponga en libertad el nuestro.

Ventajas: ____________________

Desventajas: ____________________

Orden de preferencia: ____________

Acción 7: Ponerse en contacto con una superpotencia aliada con "Lagarta", pidiéndole que subraye a su aliado que toda demora en devolver el buque intensificará peligrosamente las tensiones internacionales.

Ventajas: ____________________

Desventajas: ____________________

Orden de preferencia: ____________

Acción 8: (Su propia sugerencia) ____________

____

Ventajas: ____________________

Desventajas: ____________________

Orden de preferencia: ____________

DICCIONARIO
COLLINS
ESPAÑOL
INGLÉS
ENGLISH
SPANISH
mis pecados capitales
los tres
CARRIE
arte

Problema IX: ¿Qué libros se van a publicar?

Vocabulario

ajedrez (m.) chess
astro star
chiste (m.) joke
desarrollar to develop
desde luego of course
duradero lasting
embarazo pregnancy
pasajero fleeting, transient
redactor editor, sub-editor
vigilar to watch

La situación

Uds. son redactores de una casa editorial de Miami que publica obras en español. Cada semana reciben por lo menos diez manuscritos de escritores que quieren publicarlos. Con su mucha experiencia, Uds. han desarrollado un sexto sentido para saber qué obras van a ser populares; sólo mirando los títulos pueden escoger los libros que tendrán mayor aceptación. Durante los últimos quince días han llegado veinticinco manuscritos cuyos títulos se dan más abajo. Es tarea de Uds. hacer una lista preliminar de los diez libros que serán de mayor interés para el público.

Consideraciones

1. Desde luego, Uds. leerán cada manuscrito cuidadosamente antes de decidir definitivamente cuáles se publicarán.

2. Hay que considerar si el título indica un tema pasajero o duradero y si el libro parece ser de interés general o si es muy especializado, ya que estos factores influyen en la demanda.

3. Ordenen Uds. los títulos según su preferencia, empezando con el que ofrezca más probabilidad de éxito comercial:

Elvis no morirá nunca
Antología del humor: 500 anécdotas y chistes
Mi triunfo sobre el cáncer
Ud. es lo que come
Nos están vigilando desde otro mundo
Tú y los astros
Cien maneras de amar
El ajedrez para todos
Duerma bien en veinte lecciones
Lee Treviño: retrato de un golfista
La timidez tiene cura
Memorias de Fidel Castro
Cómo establecerse en un negocio propio
Así se protege al Presidente
Mis 444 días en Irán
Las cárceles mexicanas por dentro
Buenos Aires: sus cosas y sus gentes
En defensa de la libertad
La vida secreta de Francisco Franco
El embarazo no es una enfermedad
Aprende a jugar al fútbol con Pelé
Los cincuenta lugares más bellos de los Estados Unidos
Secretos de la cocina cubana
La mujer ¿sexo débil?
Mil y una maneras de ahorrar dinero

Decisiones

Título 1: ______________________________

Razón: ______________________________

Título 2: ______________________________

Razón: ______________________________

Título 3: ______________________________

Razón: ______________________________

Título 4: ______________________________

Razón: ______________________________

Título 5: ______________________________

Razón: ______________________________

Título 6: ____

Razón: ____

Título 7: ____

Razón: ____

Título 8: ____

Razón: ____

Título 9: ____

Razón: ____

Título 10: ____

Razón: ____

Problema X: ¿Quiénes recibirán un préstamo?

Vocabulario

almacén (m.) warehouse, store
beca scholarship
bienes raíces (m.pl.) real estate
bodega grocery store
cirugía estética plastic surgery
gerente (m.) manager
hipoteca mortgage
idear to design, invent
liquidar to pay off
plazo; a largo _____ long-term
préstamo loan
prestatario borrower
renta income
solicitante (m.f.) applicant

La situación

Uds. son los directores de la sección de préstamos de un banco de su ciudad. Aunque el país está pasando por un período de recesión y está muy alto el interés que cobra el banco, cada mes crece el número de personas que piden préstamos. Son Uds. los responsables de determinar qué peticiones deben ser aprobadas.

Consideraciones

1. El banco quiere ser un miembro responsable de la comunidad y no discrimina contra las personas a causa de su sexo, raza o nacionalidad. Lo importante es que el solicitante sea de confianza y que su proyecto no presente grandes riesgos.

2. El prestatario tiene que liquidar al año por lo menos el 20% del principal. Las excepciones son los préstamos para la compra de bienes raíces, los cuales se ofrecen a largo plazo.

Decisiones

Solicitante 1: Dolores T_____, de 30 años de edad, divorciada, sin hijos. Estudió dos años en la universidad pero dejó los estudios al casarse. Ahora quiere volver a la universidad para hacerse periodista. No recibe nada de su ex-marido y aunque la universidad le dará una beca que pagará la instrucción, necesita dinero para vivir. Pide un préstamo de $5.000 para pagar los gastos del próximo año de estudios.

Argumentos en pro del préstamo: ______________________

Argumentos en contra del préstamo: ______________________

Decisión: ______________________

Solicitante 2: Juan L_____, de 28 años de edad. Inmigrante de un país latinoamericano, lleva un año en los Estados Unidos. Ha encontrado una tienda que se alquila, donde piensa instalar una pequeña bodega. No tiene referencias comerciales, pero sí las tiene personales muy buenas, incluso del gerente del almacén donde trabaja desde hace nueve meses. Pide prestados $12.000 para cubrir los gastos de establecerse por su propia cuenta.

Argumentos en pro del préstamo: ______________________

Argumentos en contra del préstamo: ______________________

Decisión: ______________________

Solicitante 3: Martín y Roberta M_____, de 41 y 39 años de edad respectivamente. Tienen un hijo y hace 16 años (desde que se casaron) que ahorran dinero para poder comprar una casa. El piso donde viven actualmente es pequeño, con sólo una alcoba. Recientemente a Martín le han ascendido a subdirector del supermercado donde trabaja (con un salario de $14.000 al año), y Roberta es enfermera en un hospital (con un salario de $12.000 al año). Tienen ahorrados $15.000 para el pago inicial y piden una hipoteca de $60.000 sobre una casa que cuesta $75.000.

Argumentos en pro del préstamo: ______________________

Argumentos en contra del préstamo: ____________________

Decisión: ____________________

Solicitante 4: Daniel S______, de 49 años de edad. Está empleado desde hace 25 años en una fábrica, donde gana $18.000 al año. Casado y con tres hijos, pide un préstamo de $6.000 para poder llevar a su mujer e hijos a Europa. Visitarán allí a los ancianos padres de Daniel, quienes jamás han visto a sus nietos americanos.

Argumentos en pro del préstamo: ____________________

Argumentos en contra del préstamo: ____________________

Decisión: ____________________

Solicitante 5: David M______, de 19 años de edad. Estudiante del primer año de la universidad, tiene fama de ser un genio en matemáticas y ya ha ganado premios en competiciones nacionales. También es inventor pues ha ideado un automóvil eléctrico que técnicos en la materia consideran muy práctico. Pide un préstamo de $15.000 para construir dos prototipos del auto.

Argumentos en pro del préstamo: ____________________

Argumentos en contra del préstamo: ____________________

Decisión: ____________________

Solicitante 6: Simón y Elsa H______, de 42 y 40 años de edad respectivamente. El matrimonio tiene una renta anual de $20.000. De sus tres hijos, la mayor, Isabel, de 14 años, es muy tímida porque tiene la nariz larga y cree que sus compañeros se burlan de ella. Sus padres solicitan un préstamo de $3.000 para costear la cirugía estética que le dará a su hija un aspecto normal.

Argumentos en pro del préstamo: ____________________

Argumentos en contra del préstamo: ____________________

Decisión: ____________________

Radio Shack
TRS-80
ENTER
RESERVABLE KEYS
Biodramina-D
4 COMPRIMIDOS
TRATAMIENTO EFICAZ DEL MAREO
Mareos, Vómitos, Náuseas, Vértigos, etc.
BANCO POPULAR ESPAÑOL
VISA
CADUCA
AL FINAL DE
AIWA

Problema XI: ¿Qué artículos representan nuestro modo de vivir?

Vocabulario

alcalde (m.) mayor
ayuntamiento City Hall
basura garbage
caber to fit
desgastado worn out
lentes (m.pl.) lenses
pancarta placard
piedra angular cornerstone
probeta test tube
protagonista (m.f.) star
San Nicolás Santa Claus
vaqueros jeans

La situación

La ciudad de San Antonio, Texas, va a construir un Ayuntamiento nuevo. El alcalde ha decidido meter dentro de la piedra angular una cápsula llena de los artículos más representativos de nuestra cultura actual. Cuando se abra la cápsula—en el año 2200—la gente podrá saber mejor cómo se vivía aquí a finales del siglo XX. Uds., como miembros de la Comisión Histórica de San Antonio, tienen la responsabilidad de escoger los 12 objetos que se van a depositar en la cápsula.

Consideraciones

1. El tamaño de la cápsula es de 2 pies cúbicos (0,0567 metro cúbico) y, claro, se tienen que elegir objetos que puedan caber dentro.

2. Los artículos que Uds. escojan deberán representar no sólo el nivel de vida sino también los valores de nuestra sociedad.

3. He aquí una lista de posibles artículos. Uds. deben escoger al menos otros dos que no estén en esta lista:

un litro de aceite para motores
una película con ______ como protagonista
un televisor en miniatura
un revólver
una entrada a Disneyland
una cajita de cartón de una hamburguesa "Burger King"
un minibikini
zapatos de tenis
un número reciente de la revista ______
el traje de San Nicolás
unos vaqueros desgastados
la guía telefónica de ______
una radio
una alarma antirrobo
una probeta
una botellita de agua del Río Grande
una tarjeta de crédito Visa
un saco de basura acumulada por una familia de la clase media
una cajita de tranquilizantes
café instantáneo
una minicomputadora
lentes de contacto
el último disco de ______
una pelota de béisbol
el libro que se titula ______
una pancarta que dice: "Chicano Power"
el manual de instrucción de un auto nuevo

Decisiones

Artículo número 1 ______________________

Razón ____

Artículo número 2 ______________________

Razón ____

Artículo número 3 ______________________

Razón ____

Artículo número 4 ______________________

Razón ____

Artículo número 5 ____________________

Razón ____

Artículo número 6 ____________________

Razón ____

Artículo número 7 ____________________

Razón ____

Artículo número 8 ____________________

Razón ____

Artículo número 9 ____________________

Razón ____

Artículo número 10 ____________________

Razón ____

Artículo número 11 ____________________

Razón ____

Artículo número 12 ____________________

Razón ____

Problema XII: ¿Cómo preparar una campaña publicitaria?

Vocabulario

agencia de publicidad advertising agency
cajita small box
dibujo animado cartoon
diseñar to design
elogiar to praise
emprender to undertake
espacio publicitario advertising spot
hispanoparlante Spanish speaking
imprimir to print
lema (m.) slogan
marca brand
muestra sample
pasta dentífrica toothpaste
presupuesto budget
resaltar; hacer ______ to emphasize
revista magazine
sugestivo stimulating, attractive
telediario T.V. news

La situación

La agencia de publicidad donde trabajan Uds. acaba de obtener un contrato muy provechoso con la compañía que fabrica "Success", una marca de pasta dentífrica. La compañía quiere presentar su producto en el mercado hispanoparlante y les toca a Uds. preparar la campaña publicitaria que se va a emprender.

Consideraciones

1. Esta pasta dentífrica es un producto que se vende a precio módico y que todo el mundo necesita. Pero como la competencia de otras marcas es intensa, es importante hacer resaltar en la publicidad las características especiales de esta marca.

2. Se deben utilizar nombres y lemas en español que sean fáciles de pronunciar y de recordar.

3. Traten Uds. de dar a la corporación la más amplia publicidad posible.

Decisiones

1. Inventen Uds. el nombre que en español se dará a la pasta dentífrica:

____

2. Para poder planear la campaña publicitaria es importante decidir a quiénes Uds. van a dirigir la propaganda. Indiquen la relativa importancia de cada grupo (del 1 al 4):

   a. niños: ____________

   b. jóvenes (de 16 a 25 años): ____________

   c. personas de 26 a 55 años: ____________

   d. personas de más de 55 años: ____________

3. Den tres características deseables de la pasta dentífrica que Uds. van a presentar en los anuncios:

   a. ______________________________

   b. ______________________________

   c. ______________________________

4. Inventen Uds. un lema sugestivo para la pasta dentífrica: ________

____

5. Diseñen una cajita para el producto, indicando lo que se debe imprimir en un lado de la misma:

6. Decidan el porcentaje del presupuesto que se va a gastar en cada uno de los siguientes:

   a. periódicos y revistas ______________________ %

   b. televisión y radio ______________________ %

   c. muestras gratuitas ______________ %

   d. cupones que ofrecen un precio reducido ______________ %

   e. otro (expliquen) ______________ %

7. Una técnica que utilizan mucho las agencias de publicidad es telefonear a una serie de personas que han recibido una muestra gratuita a fin de obtener sus opiniones sobre el producto. Preparen tres preguntas que Uds. les van a hacer con respecto a la pasta dentífrica:

   a. ______________________________

   b. ______________________________

   c. ______________________________

8. ¿En qué tipos de programas de televisión se comprarán espacios publicitarios? (Algunas posibilidades: emisiones deportivas, telediarios, dibujos animados, series, variedades):

   a. ______________ Razón: ______________

   b. ______________ Razón: ______________

   c. ______________ Razón: ______________

9. Preparen Uds. y presenten para la televisión una emisión publicitaria de 30 segundos, elogiando la pasta dentífrica.

   ____

   ____

Problema XIII: ¿Qué deportes son mejores?

Vocabulario

alpinismo climbing, mountaineering
apoyo support
baloncesto basketball
balonmano handball
bolos bowling
carecer (de) to lack
carrera en pista track racing
equitación horseback riding
excursionismo hiking
fútbol (m.) soccer
levantamiento de pesos weight lifting
lucha libre wrestling
natación swimming
pasmado astonished
patinaje (m.) skating; _____ **de ruedas** roller skating
pelota vasca jai alai (Basque ball game)
piragüismo canoeing
remo rowing
subvencionar to subsidize, aid
tiro al blanco target shooting
tiro con arco archery
trote (m.) jogging

La situación

¡El Presidente de la nación está muy preocupado! Acaba de recibir un informe sobre el mal estado físico de los ciudadanos que le ha dejado pasmado. Gran parte de la población carece de vigor y robustez, y es importante que se haga más fuerte y sana. Por eso el Presidente quiere subvencionar los ocho deportes que ofrezcan las mayores posibilidades de mejorar el estado físico de la gente. Como miembros de su Consejo de Salud Pública, Uds. tienen que escoger los ocho deportes que van a recibir el apoyo económico. Éstos tienen que ser los que puedan ayudar más a que la gente se mantenga en forma.

El Presidente también quiere saber cuáles son los tres deportes menos apropiados para lograr estos fines.

Consideraciones

1. Los deportes que serán subvencionados deben ser accesibles igualmente a hombres y a mujeres.

2. Por lo menos la mitad, y preferentemente más, de los deportes deben ser accesibles a personas de todas las edades.

3. Clasifiquen Uds. los ocho deportes empezando con el más deseable.

4. La lista de deportes no apropiados incluirá los que Uds. consideren demasiado caros, peligrosos o difíciles para el público en general.

5. Lista de deportes para hacer la selección:

alpinismo
bádminton
baloncesto
balonmano
béisbol
billar
bolos
boxeo
carreras en pista
ciclismo
equitación
esquí
esquí acuático
excursionismo
fútbol
fútbol americano
gimnasia
golf
hockey
hockey sobre hielo
lacrosse
levantamiento de pesos
lucha libre
natación
patinaje de ruedas
patinaje sobre hielo
pelota vasca
ping-pong
piragüismo
remo
tenis
tiro al blanco
tiro con arco
trote

Decisiones

I. Los ocho deportes mejores son:

Deporte 1: ____________________

Razones: ____________________

Deporte 2: ____________________

Razones: ____________________

Deporte 3: ____________________

Razones: ____________________

Deporte 4: ______________________________

Razones: ______________________________

Deporte 5: ______________________________

Razones: ______________________________

Deporte 6: ______________________________

Razones: ______________________________

Deporte 7: ______________________________

Razones: ______________________________

Deporte 8: ______________________________

Razones: ______________________________

II. Los tres deportes menos apropiados son:

Deporte 1: ______________________________

Razones: ______________________________

Deporte 2: ______________________________

Razones: ______________________________

Deporte 3: ______________________________

Razones: ______________________________

Problema XIV: ¿Cómo invertir la renta nacional?

Vocabulario

agotar to exhaust, use up
analfabeto illiterate
aterrizar to land
caso; hacer ______ de to pay attention to
central eléctrica power station
choza hut
enlazar to link, connect
fomentar to encourage
Hacienda; Ministerio de ______ Finance Department
mil millones billion
pozo well
subdesarrollado underdeveloped
sumar to total, add up to

La situación

Uds. son funcionarios del Ministerio de Hacienda de "Perdida", un país subdesarrollado (población—2.500.000; área—51.800 kilómetros cuadrados [20.000 millas cuadradas]). Durante años las otras naciones apenas hicieron caso de "Perdida", pero el año pasado este pequeño país atrajo la atención internacional cuando se descubrieron ricos depósitos de petróleo. Hace ya diez meses que los pozos están en funcionamiento y el cálculo más reciente es que la renta nacional, para el año entrante, sumará 40 mil millones de dólares.

El Presidente pide que Uds. decidan cómo debe el país invertir este dinero. ¿Cuáles de los siguientes programas deben ser fomentados y qué porcentaje del presupuesto han de recibir?

Consideración

En este momento el gobierno de "Perdida" es bastante estable. El Presidente actual tiene presente el interés de la gente y tratará de realizar los proyectos que Uds. le sugieran.

Decisiones

Programa 1: Desarrollar el sistema de enseñanza pública. Actualmente el 70% de la gente es analfabeta. Hay pocos colegios y una sola universidad.

Porcentaje del presupuesto: __________ Explicación: __________

____

Programa 2: Construir centrales eléctricas. A pesar de la producción petrolífera, a más del 65% del país le falta electricidad. Sólo un número muy reducido de personas tienen refrigerador y luz eléctrica.

Porcentaje del presupuesto: __________ Explicación: __________

____

Programa 3: Aumentar el presupuesto de defensa. El país tiene un ejército pequeño y poquísimas armas modernas con que defenderse contra ataques de naciones vecinas que posiblemente traten de ocupar las regiones petrolíferas. Las fuerzas aéreas cuentan con una docena de aviones, y todos se compraron hace más de diez años.

Porcentaje del presupuesto: __________ Explicación: __________

____

Programa 4: Mejorar las comunicaciones. Hay servicio telefónico principalmente en la capital. En algunos pueblos pequeños hay un solo teléfono para todo el pueblo y en otros no hay ninguno. Los servicios de correos y telégrafos son lentos e irregulares.

Porcentaje del presupuesto: __________ Explicación: __________

____

Programa 5: Reformar el sistema de transportes. Hay una línea de ferrocarril que enlaza un extremo del país con el otro. Las pocas carreteras están en malas condiciones, con la excepción de las cercanas a la capital. En el único aeropuerto del país los jets no pueden aterrizar con seguridad.

Porcentaje del presupuesto: _________ Explicación: _________

____

Programa 6: Aumentar la producción agrícola. La malnutrición es un problema en todo el país. Los métodos de cultivo son primitivos y la nación tiene que importar comestibles del extranjero.

Porcentaje del presupuesto: _________ Explicación: _________

____

Programa 7: Mejorar los servicios médicos. Hay un médico por cada 100.000 habitantes y sólo la capital posee un hospital. Hay algunas clínicas pequeñas y mal equipadas en el campo.

Porcentaje del presupuesto: _________ Explicación: _________

____

Programa 8: Proveer oportunidades para las artes y el recreo. Los ciudadanos tienen poca oportunidad de escapar de la monotonía de la vida. Existen algunos cines, pero no hay verdadero teatro ni conciertos. Hay pocos campos de deportes y parques públicos.

Porcentaje del presupuesto: _________ Explicación: _________

____

Programa 9: Desarrollar nuevas industrias. Los depósitos de petróleo se agotarán en 35 años. ¿En qué se basará la economía después? Algunas industrias nuevas también pueden crear ahora empleos para la gente.

Porcentaje del presupuesto: _________ Explicación: _________

____

Programa 10: Fomentar el turismo. El Presidente ha sugerido que "Perdida" podrá atraer inversiones del extranjero si desarrolla el turismo en los próximos años.

Porcentaje del presupuesto: _________ Explicación: _________

____

Programa 11: Construir viviendas modernas. Muchos campesinos viven en chozas miserables. En la capital hay barrios donde familias enteras comparten una sola habitación.

Porcentaje del presupuesto: _________ Explicación: _________

____

COLOSALES
HOY
9:00 p.m.
COLOSALES

PRESENTA:
"TIGRES ASESINOS"
(COLOR)
CON: TOM SKERRITT
STEVE FORREST
FRANK MARTH

- 4:30 Colorix Presenta: "El Hombre Araña" (color)
- 5:00 El Llanero Solitario (color)
- 5:30 Película de la Tarde: "EN BUSCA DEL ESLABON PERDIDO" (color)
- 7:00 La Canción de la Semana (color)
- 7:05 Tres Locos Sueltos (color)
- 7:30 Las Puntadas de Aniceto (color)
- 7:35 Disco Show (color)
- 8:00 Pioneros del Oeste (color)
- 9:00 Colosales presenta: "TIGRES ASESINOS"
- 10:30 Noti Mundo (color)

CIERRE

Con la Magia del Color

LUNES 15

- 12:00 Identificación
- 12:05 Festival de Cartones
- 12:15 Salty - color
- 12:45 Colmillo, el Lobo Solitario color
- 1:15 Teleprensa de El Salvador color
- 1:30 Telenovela "Ambición" color
- 2:00 Largo Metrajes del Dos. "LOS ESPIAS DEL HELICOPTERO" - color "F. SCOTT FITZGERALD EN HOLLYWOOD" - color
- 5:30 Spunky - color
- 6:00 Los Picapiedra - color
- 6:30 El Gordo y el Flaco
- 7:00 Hoy en la Historia - color
- 7:05 Variedades - color
- 7:30 Hogar Dulce Hogar - color
- 8:00 Telenovela "Soledad" - color (I parte)
- 8:30 Hoy en la Historia - color
- 8:35 Telenovela "Soledad" - color (II parte)
- 9:00 El Increíble Hulk - color
- 10:00 Reportajes Deleón - color
- 10:15 Telenovela "Rosa... de Lejos" - color

- 7:00 PATRON TV.E.
- 7:40 Est. Sociales 8o.
- 8:35 Est. Sociales 9o.
- 10:30 Inglés 7o.
- 11:25 Idioma Nac. 9o.
- 2:35 Est. Sociales 8o.
- 3:30 Idioma Nac. 9o.
- 4:30 Est. Sociales 9o.
- 5:25 Inglés 7o.
- 6:00 PATRON Y MUSICA EN SU HOGAR
- 6:30 INICIO DE PROGRAMACION RECREATIVA
- 6:35 Revista Musical (color)
- 7:05 El Pequeño Informador (color)
- 7:15 Fútbol: Recuerdos del Mundial "México 70" (color)
- 7:45 Hoy en el Deporte (color)
- 8:05 Iniciémonos en el Mundo del Ajedrez
- 8:30 EN LA CANCHA: presenta: XX Juegos Deportivos Estudiantiles (color) CIERRE

LUNES 15

- 11:45 Identificación (C)
- 12:00 El Gato Félix (C)
- 12:30 Godzilla (C)
- 1:00 Andrea Celeste (C)
- 1:30 Mr. Magoo (C)
- 1:35 Hoy en su Casa (C)
- 2:05 El Nuevo Show de Dick Van Dyke (C)
- 2:35 Cierre
- 5:15 Identificación
- 5:30 Entre Amigos presenta: Sally la Princesa Los Secretos de July (C)
- 6:30 Guerra entre Planetas (C)
- 7:00 Ciencia Internacional (C)
- 7:05 Al Rojo Vivo (C)
- 8:00 Mafalda (C)
- 8:05 240 Robert's (C)
- 9:05 TV. 4 Deportes (C)
- 9:10 Mi Secretaria (C)
- 9:40 Buenos Días Isabel (C)
- 10:40 Telediario Salvadoreño (C)
- 10:55 Super Nocturnos Tele 4 Presenta: "ROSIE" Con: Rosalind Rusell, Sandra Dee (C)

Imagen del

entretenimiento permanente...

telesistema CANAL 1
HOY PRESENTAMOS

- 3:30 Patrón de Ajuste.
- 4:00 Arte hoy
- 4:30 Siglo XXI
- 5:30 Figuras del Deporte
- 6:00 Ayer, Hoy y Mañana
- 6:30 La Danza en el Mundo
- 7:00 Hechos y Opiniones
- 8:00 Tres Muchachas de Jalisco
- 9:35 Amantes de Ultratumba

CANALES 4, 5 y 12

- 2:30 Nosotros en Sábados
- 3:00 Las Brigadas de Tigre
- 4:00 Plaza Sésamo
- 5:00 En las Fronteras de lo Posible
- 6:00 Obra de Mita
- 7:00 Vistas públicas
- 8:00 Torneo de Baloncesto Superior
- 10:00 Elenita en Escena
- 10:30 El Show de Napoleón Dhimes
- 11:00 Concierto de Violín y Piano.
- 12:00 Despedida.

CANALES 7 y 11

- 2:00 Película
- 5:30 Lucha libre
- 6:30 El Hombre y la Tierra
- 7:00 El Pueblo Cuestiona
- 8:00 Hawai 5—0
- 9:00 Miss Estados Unidos
- 10:00 Quinto Jinete
- 11:00 Pregúntale a Ella

CANALES 9 y 2

- 2:00 Bloque Deportivo
- 3:00 Torneo de las Estrellas
- 3:30 Magi
- 4:00 Esto es Hollywood
- 4:30 El Loco Valdez
- 5:00 Fiebre del Sábado
- 6:00 Lucha Libre Internacional
- 7:00 Otra vez con Yaqui
- 9:00 El Vagabundo (con Tin Tan)
- 11:00 Las Calles de San Francisco
- 12:00 Cierre.

CANALES 2 y 13

- 2:00 Cine como en el Cine: Yo Caminé con un Zombie
- 4:00 Acción y Aventura
- 5:00 Muñequitos
- 6:00 Tic-Tac-Toc
- 6:00 Temas del Presente
- 7:00 Lope Balaguer en Romance

- 8:00 PATRON TV.E.
- 8:35 Matemática 6o.
- 9:35 Inglés 9o.
- 10:30 Idioma Nac. 4o.
- 11:40 MUSICA CLASICA EN SU HOGAR
- 12:10 INICIO DE PROGRAMACION CULTURAL
- 12:15 Los Animales (1a. parte)
- 12:50 Pausa Musical
- 12:55 Imágenes de Einstein (color)
- 1:10 ¿Se podrá alimentar al mundo? (color) (Prod. TV.E.)
- 1:30 CIERRE
- 1:40 Inglés 9o.
- 4:30 Idioma Nac. 4o.
- 5:25 Matemática 6o.
- 6:30 MUSICA CLASICA EN SU HOGAR
- 7:00 INICIO DE PROGRAMACION CULTURAL
- 7:05 Carta de España
- 7:15 ACTUALIDAD EDUCATIVA (Prod. TV.E.)
- 7:35 Instantáneas de Taiwan (color)
- 8:00 Semana del Ingeniero Agrónomo: La Roya del Cafeto en El Salvador (Conferencia)
- 8:30 ¿Se podrá alimentar al mundo? (color) (Prod. TV.E.)
- 8:50 Imágenes de Einstein (color)
- 9:05 Asturias: Primer Premio Nobel Centroamericano (color) (Prod. TV.E.)
- 9:45 Cómo evitar el fracaso de la comunicación (color)
- 10:00 CIERRE

MAÑANA
TURISMO
la mejor opción para el desarrollo económico de El Salvador

CANAL 10 — 9 P.M.

Problema XV: Preparación de un horario de programas de televisión

Vocabulario

asequible available
asesor adviser, consultant
concurso quiz show, contest
doblar to dub
horario schedule
novela soap opera
red (f.) network
rellenar to fill out

La situación

Se ha establecido una nueva red de televisión que emitirá exclusivamente en español. Uds. son miembros del grupo de asesores encargados de planear su programación. Según los reglamentos del gobierno, esta red puede televisar desde las seis de la tarde hasta medianoche los días laborales y desde las dos de la tarde hasta medianoche los sábados y domingos. En muchas regiones del país éstas serán las únicas emisiones en español asequibles al público hispanoparlante.

Consideraciones

1. El primer deber de Uds. es determinar los *tipos* de programas que se van a presentar. Para rellenar el horario, escojan de entre las siguientes categorías:
   a. noticias (telediarios, documentales, comentarios, etc.)
   b. dibujos animados
   c. cine
   d. programas culturales (drama, ópera, ballet, concierto, etc.)
   e. emisiones deportivas
   f. series y novelas
   g. espectáculos de variedades, programas cómicos, concursos televisivos
   h. emisiones de tipo religioso
   i. programas instructivos
   j. otro (escojan Uds.)

2. Los programas no deben durar menos de 30 minutos ni más de 2 horas.

3. Al sugerir programas específicos (parte III), tengan en cuenta que algunos pueden ser programas en inglés doblados en español, pero también hay que presentar programas originales en español.

Decisiones

I. Horario para los días laborables (*tipos* de programas):

6:00 ______________	9:00 ______________
6:30 ______________	9:30 ______________
7:00 ______________	10:00 ______________
7:30 ______________	10:30 ______________
8:00 ______________	11:00 ______________
8:30 ______________	11:30 ______________

II. Horario para (1) sábado y (2) domingo (*tipos* de programas):

2:00 ______________	2:00 ______________
2:30 ______________	2:30 ______________
3:00 ______________	3:00 ______________
3:30 ______________	3:30 ______________
4:00 ______________	4:00 ______________
4:30 ______________	4:30 ______________
5:00 ______________	5:00 ______________
5:30 ______________	5:30 ______________
6:00 ______________	6:00 ______________

6:30 ______________ 6:30 ______________

7:00 ______________ 7:00 ______________

7:30 ______________ 7:30 ______________

8:00 ______________ 8:00 ______________

8:30 ______________ 8:30 ______________

9:00 ______________ 9:00 ______________

9:30 ______________ 9:30 ______________

10:00 ______________ 10:00 ______________

10:30 ______________ 10:30 ______________

11:00 ______________ 11:00 ______________

11:30 ______________ 11:30 ______________

III. A fin de dar buen comienzo a las emisiones y de atraer telespectadores, decidan Uds. sobre los siguientes puntos:

A. Los títulos de tres películas que se presentarán durante el primer mes:

a. ______________________________

b. ______________________________

c. ______________________________

B. Los nombres de tres programas instructivos que se emitirán con regularidad:

a. ______________________________

b. ______________________________

c. ______________________________

C. Tres programas culturales que se emitirán en el otoño:

a. ______________________________

b. ______________________________

c. ______________________________

D. Tres concursos deportivos que deben televisarse durante el primer mes:

a. ______________________________

b. ______________________________

c. ______________________________

E. Tres series o novelas que se verán todas las semanas:

a. ______________________________

b. ______________________________

c. ______________________________

IV. Claro está que habrá anuncios comerciales, ya que son necesarios para mantener la red. Decidan Uds. lo siguiente:

A. ¿Cuántos minutos por hora se dedicarán a anuncios comerciales? ______________________________

B. ¿Cuándo se presentarán los anuncios comerciales?

a. Sólo al principio o al final de un programa ____________

b. A intervalos durante el programa ____________

Razón ______________________________

C. ¿Qué tipos de productos o servicios son los más deseables para los anuncios comerciales?

a. ______________________________

b. ______________________________

c. ______________________________

Razón ______________________________

D. ¿Qué tipos de productos serán inaceptables?

a. ______________________________

b. ______________________________

Razón ______________________________

Problema XVI: Crear una civilización nueva

Vocabulario

cabida capacity
cantante (m.f.) singer
cargado (de) loaded (with)
despegar to take off
encinta pregnant
enfermera nurse
estallar to break out
labrador (m.) laborer, farm worker
miope nearsighted
pastor (m.) minister
sobreviviente (m.f.) survivor
suelo soil, earth

La situación

¡Lo impensable ha ocurrido! Acaba de estallar una guerra nuclear y ya casi todas las regiones del mundo han sido destruidas. En este momento hay en un rincón de Australia un grupo de sobrevivientes, entre ellos, Uds., los jueces del Tribunal Supremo del país. Pero pronto las corrientes de aire cargadas de radiación acabarán también con toda la vida en su continente. Parece que el planeta está condenado a muerte.

¡Pero no! Uds. acaban de saber que, a causa de unos vientos anormales, una pequeña isla, a una distancia de 300 millas (480 kilómetros), no será del todo destruida. Hay motivo para creer que, aunque se destruya algo de la flora y fauna de la isla, el suelo no se contaminará. Desgraciadamente, sólo hay un pequeño avión que podrá despegar del aeropuerto y volar a la isla. Además del piloto (hombre de 28 años de edad), el avión tiene cabida para 5 personas, pero son 10 las personas que quieren ir a la isla. Uds., los jueces, tienen la formidable responsabilidad de escoger en una hora a las 5 personas que se salvarán; las otras 5 se quedarán a morir con Uds. y con el resto de la humanidad.

Consideraciones

1. Tengan en cuenta, al tomar su decisión, que las personas que van a la isla tendrán que establecer una civilización nueva.

2. Uds., los jueces, por ser todos viejos, han decidido entre sí que ninguno tratará de salvarse.

Decisiones

Candidato al viaje 1: Un pastor (25 años de edad)

Argumentos a favor de que se salve: ____________________

Argumentos en contra: ____________________

Conclusión de los jueces: ____________________

Candidato 2: Un médico miope (46 años de edad)

Argumentos a favor de que se salve: ____________________

Argumentos en contra: ____________________

Conclusión de los jueces: ____________________

Candidato 3: Una cantante (19 años de edad)

Argumentos a favor de que se salve: ____________________

Argumentos en contra: ____________________

Conclusión de los jueces: ____________________

Candidato 4: Un policía (50 años de edad)

Argumentos a favor de que se salve: ____________________

Argumentos en contra: ____________________

Conclusión de los jueces: ____________________

Candidato 5: Un jefe de una tribu de aborígenes (edad desconocida)

Argumentos a favor de que se salve: ____________________

Argumentos en contra: ____________________

Conclusión de los jueces: ____________________

Candidato 6: La mujer encinta del jefe aborigen (edad desconocida)

Argumentos a favor de que se salve: ____________________

Argumentos en contra: ____________________

Conclusión de los jueces: ____________________

Candidato 7: Una enfermera (40 años de edad)

Argumentos a favor de que se salve: ____________________

Argumentos en contra: ____________________

Conclusión de los jueces: ____________________

Candidato 8: Una profesora de sociología (34 años de edad)

Argumentos a favor de que se salve: ____________________

Argumentos en contra: ____________________

Conclusión de los jueces: ____________________

Candidato 9: Un científico alcohólico, especializado en agricultura (edad desconocida)

Argumentos a favor de que se salve: ____________________

Argumentos en contra: ____________________

Conclusión de los jueces: ____________________

Candidado 10: Un labrador (45 años de edad)

Argumentos a favor de que se salve: ____________________

Argumentos en contra: ____________________

Conclusión de los jueces: ____________________

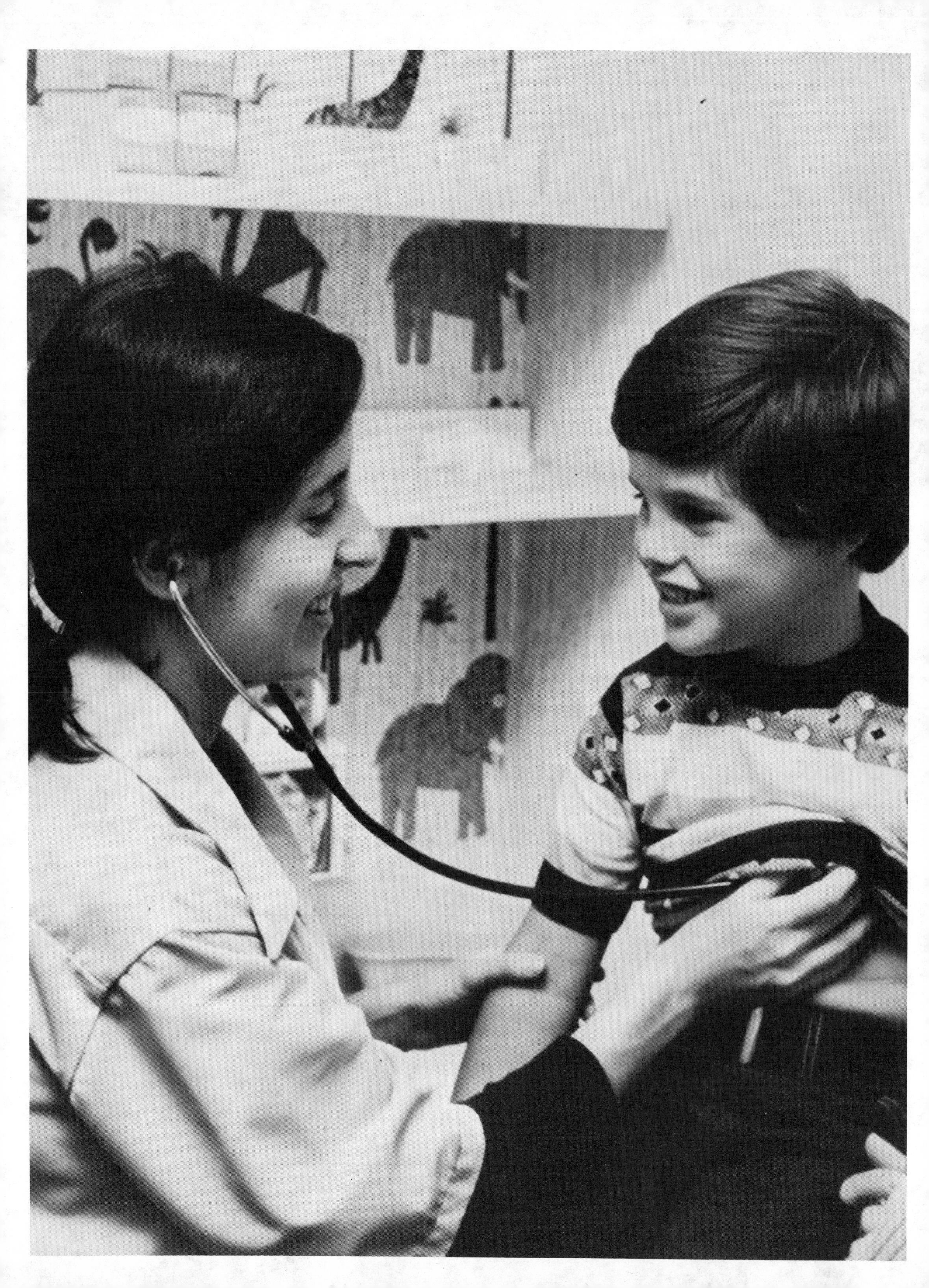

Problema XVII: ¿A quiénes debe aceptar la facultad de medicina?

Vocabulario

calificación grade
capacitado qualified
criarse to grow up
cursar to study
dominar to have a command of, be fluent in
ejercer to practice (as a doctor)
envejecer to grow old
historial (m.) background
ingreso; examen de _____ entrance exam
lesión injury
principio; en un _____ at first
promedio average
sobresaliente outstanding
socio partner
suspender to fail (someone in class)
temporada season
vacante (f.) unfilled place, vacancy

La situación

La Facultad de Medicina de la Universidad de M. acepta a cien estudiantes cada año. Este año, como siempre, el número de aspirantes excede con mucho al número de puestos. Uds., miembros del comité de admisión, ya han escogido a 98 de los 100 estudiantes nuevos. Quedan 5 individuos competentes que solicitan las dos vacantes. Abajo se da una breve biografía de cada uno. Uds. deben establecer el orden de preferencia para la admisión de estos candidatos (del 1 al 5; 1 = el que parezca más capacitado para una carrera en medicina). Los dos primeros serán aceptados inmediatamente; los otros podrán ser admitidos en caso de que algunos aspirantes ya aceptados decidan no matricularse.

Consideraciones

1. La Universidad está a favor de la "igualdad de oportunidad", pero no clasifica a las personas según su raza o sexo. Todo solicitante es considerado en relación con sus circunstancias.

2. Todos los solicitantes han salido muy bien en el examen de ingreso de la Facultad de Medicina. Como las notas de los cinco son casi iguales, no pueden servir de factor determinante para su admisión.

Decisiones

1. Roberto es un hombre de 27 años, nacido en Nicaragua y ahora residente permanente en EE. UU. Domina tanto el inglés como el español. Cursó Filosofía y Letras en Nicaragua pero no ha podido obtener documentación completa sobre sus estudios allí a causa de la inestable situación política de su patria. Ha enseñado español en el Instituto Berlitz mientras asistía a varios cursos de ciencias, requisito para matricularse en la Facultad de Medicina. Ha recibido calificaciones de A o A– en estos cursos. Quisiera dedicarse a medicina general o a pediatría. Roberto afirma: "Con mi historial podré contribuir a mejorar la salud de la gente hispanoparlante de los EE UU.".

Argumentos a favor del aspirante ______________________________

Argumentos en contra del aspirante ____________________________

Orden de preferencia ____________________

2. Conrad, un joven de 24 años, está a punto de terminar sus estudios en una buena universidad privada, donde ha tenido un promedio de B+ en las calificaciones. Una vez le suspendieron en un curso de sicología, que tuvo que volver a tomar. Dejó los estudios a los 20 años para "viajar y pensar". A su regreso a la universidad, dieciocho meses más tarde, decidió especializarse en biología y en estos cursos ha salido muy bien. Su padre, un médico graduado por la Universidad de M., participa activamente en la Asociación de Ex-alumnos. Conrad dice: "Probablemente me asociaré con mi padre después de graduarme. El va envejeciendo y necesita ayuda con su clientela".

Argumentos a favor del aspirante ______________________________

Argumentos en contra del aspirante ____________________________

Orden de preferencia ____________________

3. Diana es una joven de 25 años. Actualmente cursa el primer año de veterinaria. Siempre ha tenido notas sobresalientes en los estudios y es una persona muy trabajadora. En su solicitud ella explica: "Ahora me doy cuenta de que para sentirme satisfecha necesito dedicarme a las personas en vez de a los animales. Espero ejercer de médica en un barrio pobre de una ciudad grande o tal vez en un país subdesarrollado".

Argumentos a favor de la aspirante ______________________

Argumentos en contra de la aspirante ____________________

Orden de preferencia __________________

4. David, un hombre de 26 años, se crió en el barrio más pobre de su ciudad. Fue un buen estudiante universitario y salió con un promedio de B+. Fue miembro del equipo de baloncesto de la universidad, en donde ganó varios premios por ser un jugador excepcional. En un principio pensaba estudiar medicina, pero cuando un equipo de baloncesto profesional le ofreció un contrato lo aceptó. Sólo jugó con el equipo tres años; lo despidieron al final de la tercera temporada debido a una serie de lesiones que no le permitieron jugar con regularidad. Ahora quiere dedicarse a la medicina. Dice: "Quisiera ser cirujano ortopédico para especializarme en el tratamiento de atletas. Mis propias experiencias me han revelado que los atletas necesitan mucha atención".

Argumentos a favor del aspirante ______________________

Argumentos en contra del aspirante ____________________

Orden de preferencia __________________

5. Francisca, de 35 años, está casada y tiene un hijo. Obtuvo el doctorado en lingüística y enseñó tres años en una conocida universidad, pero perdió su empleo cuando disminuyó el número de estudiantes en la universidad. Ha publicado 4 artículos sobre su especialidad, el desarrollo del habla en los niños. El año pasado trabajó de taxista mientras reflexionaba sobre una nueva carrera. Según Francisca: "Mi preparación en lingüística y mi experiencia como profesora deben ayudarme a tener éxito en la carrera de medicina".

Argumentos a favor de la aspirante ______________________

Argumentos en contra de la aspirante ____________________

Orden de preferencia __________________

Preparación de un plan de estudios

Vocabulario

acordar to agree
asignatura course
enfoque (m.) approach, focus
falta; hacer ___ to be necessary
fondo background
incumbir to be incumbent upon
materia subject
medio (adj.) average
papel (m.) role
periodismo journalism
proporcionar to provide
troche; a ___ y moche haphazardly

La situación

Los regentes de la universidad están preocupados porque unas investigaciones recientes indican que el graduado medio de ahora no sale tan bien preparado como el de hace cincuenta años. Por eso, han decidido que hace falta un cambio radical en el enfoque educacional. Los estudiantes ya no podrán escoger a troche y moche las asignaturas que les parezcan más atrayentes o fáciles. De ahora en adelante tendrán que seguir durante los dos primeros años un plan de estudios uniforme y especializarse tan sólo en los dos últimos años. Se ha acordado que el plan de estudios sea tal que "no sólo les dará a los estudiantes una serie de conocimientos generales de las humanidades y las ciencias sino que también les proporcionará la habilidad analítica y verbal necesaria para asumir un papel dirigente en la sociedad".

Uds. son los miembros del comité (administradores, profesores y estudiantes) encargado de determinar las asignaturas obligatorias. También les incumbe explicar el porqué de su elección.

Consideraciones

1. Habrá tres trimestres por año, con cinco asignaturas por trimestre.

2. He aquí una lista de asignaturas. Uds. deben decidir cuáles serán obligatorias y también el número de trimestres en que se estudiarán:

antropología
drama
química
biología
arte
geografía
lingüística
botánica
astronomía
lenguas extranjeras
administración
economía
programación de computadores
geología
historia
periodismo
matemáticas
música
ciencia política
literatura
filosofía
física
sicología
religión
elocución
sociología
estadística
zoología
gramática y composición
otra (concreten) ______
____

Decisiones

1. Indiquen las asignaturas obligatorias y el número de trimestres en que se deben estudiar. Expliquen por qué han escogido éstas y no otras.

Ejemplo: historia 2 trimestres
filosofía 1 trimestre

Asignatura	número de trimestres
____________________	__________
____________________	__________
____________________	__________
____________________	__________
____________________	__________
____________________	__________
____________________	__________
____________________	__________
____________________	__________

____________________	__________
____________________	__________
____________________	__________
____________________	__________
____________________	__________
Total	30

Explicaciones: ____

____

2. Ahora, preparen Uds. un plan de estudios para el primer año que pueda servir de modelo a los alumnos que se matriculen en el futuro:

otoño	invierno	primavera
__________	__________	__________
__________	__________	__________
__________	__________	__________
__________	__________	__________
__________	__________	__________

Problema XIX: La crianza de un niño

Vocabulario

celos; tener ____ to be jealous
cinta tape
convenir to be suitable
corralillo playpen
cuna; canción de ____ lullaby
chupar to suck
chupete (m.) pacifier
gana; de buena ____ willingly
grabar to record
hadas; cuento de ____ fairy tale
juguete (m.) toy
llano plain, straightforward
mecer to rock
mimado spoiled
muñeca doll
niñera nursemaid, sitter
osito teddy bear
pañal (m.) diaper
pegar to hit
privar to deprive, take away
quejoso complaining, fussy
travieso mischievous

La situación

Uds., empleados del Departamento de Salud Pública de su ciudad, tienen que grabar una serie de consejos para los padres. El propósito del proyecto es contestar algunas preguntas muy frecuentes entre los que no tienen experiencia en criar niños. Los asuntos que tratarán no dependen del conocimiento médico sino de buen juicio y de sentido común. Sus consejos pueden basarse o bien en su propio saber o bien en lo que han escrito personas entendidas en la materia.

Consideraciones

1. El Departamento de Salud Pública insiste en que sus empleados, al tratar con el público, usen un lenguaje claro, llano y comprensible.

2. Recuerden que las personas que van a usar la cinta tienen poca o ninguna experiencia en cuidar a los niños; por lo tanto es importante explicar bien cada respuesta.

Decisiones

1. ¿Conviene que el bebé duerma en la alcoba de los padres o en su propia alcoba?

____

2. ¿Cuántas horas debe dormir un niño

   (a) de menos de un año de edad? ______________

   (b) de dos a tres años? ______________

   (c) de cuatro a seis años? ______________

3. a. ¿Qué rutina aconsejan Uds. para que el niño se acueste de buena gana? (algunas sugerencias: leerle un cuento de hadas; cantarle una canción de cuna; mecerlo un poco)

____

   b. ¿Qué se debe hacer si, a pesar de todo, el niño empieza a llorar cuando lo acuestan?

____

4. Si el bebé está quejoso, ¿es buena idea darle un chupete? ¿dejar que se chupe el dedo?

____

5. ¿Aconsejan Uds. que se ponga a un bebé muy activo en el corralillo?

____

6. ¿Deben los dos padres trabajar fuera de casa cuando el niño tiene

   (a) menos de un año? ______________________

   (b) de uno a tres años? ______________________

   (c) de cuatro a seis años? ______________________

7. Si los dos tienen que ir al trabajo, ¿es mejor dejar al niñito con una niñera o llevarlo a un jardín de infancia?

   ____

8. ¿Qué parte debe tomar cada uno de los padres en cuidar al niño? (Por ejemplo, ¿quién debe bañarlo? ¿castigarlo? ¿cambiarle los pañales?)

   ____

9. ¿A qué edad debe aprender el niño a hacer sus necesidades por sí mismo?

   ____

10. ¿Qué se debe hacer si el niño se niega a comer lo que le preparan?

    ____

11. Si el niño tiene hambre entre comidas, ¿qué se le puede dar de comer?

    ____

12. a. ¿Son los mismos tipos de juguetes apropiados para los niños y las niñas?

    ____

b. ¿Qué juguetes son los mejores para el niño (algunas posibilidades: muñecas, soldaditos, ositos)

(a) de menos de un año? ______

(b) de uno a tres años? ______

(c) de cuatro a seis años? ______

13. ¿Cómo se enseña al niño a tener confianza en sí mismo?

______

14. ¿Qué se puede hacer para que un niño no tenga celos del hermanito recién nacido?

______

15. ¿Cómo puede un niño aprender a llevarse bien con los otros niños?

______

16. a. ¿Qué tipos de castigo recomiendan Uds. para el niño travieso (algunas posibilidades: encerrarlo en su alcoba; no dejarle salir a jugar; privarle de algo)

(a) de menos de dos años? ______

(b) de tres a cuatro años? ______

(c) de cinco a seis años? ______

______

b. ¿Es lícito o no pegar a los ninos? ______

______

17. ¿Cómo se puede evitar que el niño sea mimado?

____

18. Si los padres son bilingües, ¿deben hablar al niño en una sola lengua o en las dos lenguas?

____

19. ¿Qué otro consejo importante tienen Uds. para los padres?

____

Problema XX: Hacia el porvenir

Vocabulario

ambiental environmental
atravesar to cross
empeorar to worsen
logro accomplishment
porvenir (m.) future
pronosticar to predict
sentado; dar por _____ to take for granted

La situación

Si Uds. hubieran nacido en 1900 y vivido hasta 1980, habrían visto unos cambios monumentales durante su vida. A principios de este siglo, ¿cuántas personas podían imaginarse que algún día los hombres atravesarían el Atlántico en tres horas o que llegarían en una cápsula espacial a la luna? Claro está que Uds. han nacido en la última parte del siglo XX y dan por sentado estos logros de la tecnología. Pero ahora se les pide a Uds. que pronostiquen cómo será el mundo en el año 2025. Concretamente, (1) ¿cuáles serán los 12 cambios más importantes durante su vida? y (2) ¿mejorarán o empeorarán estos cambios la existencia humana?

Consideración

Uds. deben considerar tanto los cambios físicos y ambientales como los tecnológicos.

Decisiones

Cambio 1: ______________________________

¿Efecto positivo o negativo? ______________

Cambio 2: ____________________

¿Efecto positivo o negativo? __________

Cambio 3: ____________________

¿Efecto positivo o negativo? __________

Cambio 4: ____________________

¿Efecto positivo o negativo? __________

Cambio 5: ____________________

¿Efecto positivo o negativo? __________

Cambio 6: ____________________

¿Efecto positivo o negativo? __________

Cambio 7: ____________________

¿Efecto positivo o negativo? __________

Cambio 8: ____________________

¿Efecto positivo o negativo? __________

Cambio 9: ____________________

¿Efecto positivo o negativo? __________

Cambio 10: ____________________

¿Efecto positivo o negativo? __________

Cambio 11: ____

¿Efecto positivo o negativo? ___________________

Cambio 12: ____

¿Efecto positivo o negativo? ___________________

Problema XXI: ¿Qué cosas debería llevar conmigo?

Vocabulario

acero steel
afilado sharp, sharpened
brújula compass
cepillo de dientes toothbrush
clavo nail
cocina cookstove
cuadrado (adj.) square
destierro exile
fusil (m.) rifle, gun
hacha axe, hatchet
impermeable (m.) raincoat
loro parrot
magnetofón (m.) tape recorder
maquinilla de afeitar razor
martillo hammer
navaja pen knife, folding knife
olla pot, pan
pala shovel
pulgada inch
recurso resource
red (f.) net
semilla seed
tiburón (m.) shark
tijeras scissors

La situación

Es Ud. un prisionero político, de 28 años de edad, que ha sido condenado a vivir en exilio perpetuo en una isla desierta del Océano Pacífico. La isla dista 1.800 millas (2.880 kilómetros) de toda otra tierra y será casi imposible escaparse a causa de las corrientes fuertes del océano y de los tiburones que abundan en el agua. Pero la isla (260 millas cuadradas—670 kilómetros cuadrados) goza de un clima suave ya que la temperatura no baja de 55° F. (13° C.) en invierno ni sube de 88° F. (31° C.) en verano. Como la región recibe unas 50 pulgadas (127 centímetros) de lluvia al año, hay amplia vegetación y fauna variada y no será difícil obtener comestibles.

El gobierno permitirá que Ud. se lleve al destierro doce artículos y ha dicho que le proveerá de un generador solar portátil si Ud. desea tener aparatos eléctricos. Claro está que no van a dejarle tener ni compañero humano ni medio alguno de transporte que le permita escaparse de la isla. Pero aparte de estas limitaciones Ud. puede escoger libremente las doce cosas más necesarias para vivir en la isla.

Consideraciones

1. He aquí una lista de algunas cosas que Ud. puede llevar consigo a la isla:

un animal doméstico (perro, loro, etc.)	tijeras	un caballo
una maquinilla de afeitar	un refrigerador	una red
un cepillo de dientes	un termómetro	una caña de pescar
jabón	una cocina	una brújula
una máquina de escribir	gafas de sol	una pala
la Biblia	aspirinas	antiséptico
cartas	una navaja	un impermeable
una radio	un barómetro	un martillo y clavos
fósforos	agua mineral	una lámpara
una cuerda	un espejo	penicilina
insecticida	un hacha	una cama
una olla	un magnetofón	semillas de trigo o maíz
	un fusil con balas	papel y pluma

2. Al tratarse de cosas que se consumen (jabón, aspirinas, fósforos, etc.), se entiende que habrá una provisión que, usada normalmente, durará toda la vida.

3. Es posible que no hagan falta algunas cosas de la lista pues Ud. podrá usar los recursos naturales de la isla. (Por ejemplo, sería posible hacer un hacha de una piedra afilada y un palo, pero por otra parte un hacha de acero sería más útil.)

4. Ud. no tiene que limitarse a los artículos que se dan en la lista de arriba; debe escoger por lo menos un artículo que no esté allí.

Decisiones

Artículo 1: ______________________________

Explicación: ______________________________

Artículo 2: ______________________________

Explicación: ______________________________

Artículo 3: ______________________________

Explicación: ______________________________

Artículo 4: ______________________________

Explicación: ______________________________

Artículo 5: ______________________________

Explicación: ______________________________

Artículo 6: ______________________________

Explicación: ______________________________

Artículo 7: ______________________________

Explicación: ______________________________

Artículo 8: ______________________________

Explicación: ______________________________

Artículo 9: ______________________________

Explicación: ______________________________

Artículo 10: ______________________________

Explicación: ______________________________

Artículo 11: ______________________________

Explicación: ______________________________

Artículo 12: ______________________________

Explicación: ______________________________

Problema XXII: ¿Cuál es el castigo apropiado?

Vocabulario

ajeno someone else's
cadena perpetua life imprisonment
comportarse to behave
conducir to drive
cuadrar con to fit, suit
dañar to damage
delito crime, offense
embriaguez (f.) drunkenness
evasión fiscal tax evasion
forense legal
incendio malicioso arson
leve light
multa fine
rapto kidnapping
rehusar to refuse
reincidencia repeated offense
renta imponible taxable income
rescate (m.) ransom
secuestrar to seize, hijack
vigente applicable, in force

La situación

Hace tiempo que los ciudadanos afirman que los castigos de varios delitos no son justos; algunos creen que son excesivamente duros mientras que otros dicen que son demasiado leves. Por consiguiente, los legisladores han pedido que Uds., un grupo de expertos forenses, repasen el código penal y recomienden nuevas penalidades para los delitos enumerados a continuación.

Consideraciones

1. Según las leyes vigentes hasta ahora, todos los delitos enumerados reciben algún castigo (generalmente prisión) e incluso se impone la pena de muerte por cometer algunos de ellos.

2. Los castigos que Uds. pueden recomendar incluyen: multa, prisión (por ______ años), cadena perpetua, pena de muerte. Es sumamente importante que el castigo cuadre con el crimen.

3. Si Uds. no creen que cierta acción constituya un delito, deben recomendar que no haya castigo.

Decisiones

1. Conducir en estado de embriaguez

A. Primer delito B. Reincidencia

Castigo ____________ Castigo ____________

Explicación ________________________

2. Conducta escandalosa, o sea comportarse de tal modo que sus acciones molesten excesivamente a otras personas, por ejemplo, tocar la radio a todo volumen y rehusar bajarlo. La embriaguez pública también se considera conducta escandalosa.

A. Primer delito B. Reincidencia

Castigo ____________ Castigo ____________

Explicación ________________________

3. Prostitución, o sea participar en actos sexuales a cambio de dinero u otra forma de pago.

A. Primer delito B. Reincidencia

Castigo ____________ Castigo ____________

Explicación ________________________

4. Posesión de drogas fuertes (morfina, heroína, cocaína, etc.).

A. Primer delito B. Reincidencia

Castigo ____________ Castigo ____________

Explicación ________________________

5. Comercio de drogas fuertes. Es decir, el vender tales sustancias.

A. Primer delito B. Reincidencia

Castigo ______________ Castigo ______________

Explicación ______________________________

6. Robo de mayor cuantía, o sea robo de algo por un valor mayor de $2.500.

A. Primer delito B. Reincidencia

Castigo ______________ Castigo ______________

Explicación ______________________________

7. Incendio malicioso, o sea prender fuego intencionadamente a la propiedad suya o ajena.

A. Primer delito B. Reincidencia

Castigo ______________ Castigo ______________

Explicación ______________________________

8. Asalto a mano armada, o sea, atacar a una persona con un arma (pistola, cuchillo, etc.), sin matarla.

A. Primer delito B. Reincidencia

Castigo ______________ Castigo ______________

Explicación ______________________________

9. Hacer apuestas ilegales. Es decir, participar en loterías, juegos, etc. no permitidos por la ley.

A. Primer delito B. Reincidencia

Castigo ____________________ Castigo ____________________

Explicación ____

10. Evasión fiscal, o sea presentar una declaración de renta fraudulenta o no presentar declaración alguna cuando uno tiene renta imponible.

A. Primer delito B. Reincidencia

Castigo ____________________ Castigo ____________________

Explicación ____

11. Vandalismo, o sea la destrucción intencionada de la propiedad ajena.

A. Primer delito B. Reincidencia

Castigo ____________________ Castigo ____________________

Explicación ____

12. Difamación, o sea hacer deliberadamente declaraciones falsas sobre otra persona con el propósito de dañarla en su reputación.

A. Primer delito B. Reincidencia

Castigo ____________________ Castigo ____________________

Explicación ____

13. Rapto, o sea detener a una persona contra su voluntad, generalmente con el propósito de obtener un rescate.

Castigo ____________________

Explicación ____

14. Homicidio impremeditado. Es decir, causar la muerte de otra persona sin intención o por descuido.

Castigo ____________________

Explicación ____

15. Homicidio con premeditación.

Castigo ____________________

Explicación ____

16. Asesinato de un dignatario del gobierno (por ejemplo, el presidente, gobernador, senador, representante, etc.).

Castigo ____________________

Explicación ____

17. Actos de terrorismo, tales como colocar bombas, secuestrar aviones, etc., cometidos con el fin de alterar el orden público o por razones políticas.

Castigo ____________________

Explicación ____

Problema XXIII: ¿Cómo aconsejarles?

Vocabulario

apremiante pressing
asilo de viejos old peoples' home
asistente social (m.) social worker
atreverse (a) to dare
auxilio aid, assistance
espada; estar entre la ___ y la pared to be caught in an impossible situation
fiarse (de) to trust
formación training
forzar to break in
golpear to beat
mentiroso liar
pesar to distress
plantear to raise (a problem)
ratería pilfering
simpatizar to get along, hit it off

La situación

Uds. son asistentes sociales que trabajan en una agencia de auxilio social de un barrio céntrico. Todos los días vienen diversas personas en busca de consejos sobre apremiantes asuntos personales. Uds. tienen la responsabilidad de hacer todo lo posible para resolver sus problemas. Hoy han venido a pedir consejos cinco personas con problemas urgentes. ¡Ayúdenlas!

Consideraciones

1. Hay que tener mucho cuidado con los consejos. Una indicación imprudente puede tener graves consecuencias. Si les parece que no pueden resolver un problema, tal vez podrán poner a la persona en contacto con alguien que la ayude.

2. Uds. no suelen salir a ver a otras personas, pero sí pueden telefonearlas.

3. Las personas mismas plantean sus problemas.

Decisiones

1ª persona: Alberto P. (53 años de edad)

"Hace tres años que mi padre vive con nosotros, desde que se nos murió mamá. Elsa, mi mujer, y yo tenemos dos hijos y vivimos en un apartamento con tres dormitorios bastante pequeños. Mi padre tiene uno de los dormitorios y toma sus comidas con nosotros. A cambio de esto nos ha dado la mitad del cheque mensual que recibe de la Seguridad Social. Pero mi padre y mi mujer nunca han simpatizado y hace unos días tuvieron una riña horrible. Ahora ella dice que no va a cuidar más a mi padre y que debemos mandarle a un asilo de viejos. Papá dice que se suicidará antes que ir a un asilo y ella amenaza con dejarme si él se queda en nuestra casa. Mi padre no puede vivir solo ni cuidarse por sí mismo. De veras estoy entre la espada y la pared. ¿Qué debo hacer?"

Consejo: ____

____

2ª persona: Julia D. (16 años de edad)

"Hace seis meses que Felipe y yo somos novios. Ayer supe que estoy encinta. Se lo dije a Felipe, creyendo que se alegraría y que nos casaríamos pronto. Pero me dijo que no quiere volver a verme. Si Felipe me abandona, no sé qué va a ser de mí. Todavía soy estudiante de la escuela superior. ¿Cómo podré mantener sola al bebé? No me atrevo a decirles nada a mis padres; temo que me golpeen o que me maten. ¿Qué puedo hacer?"

Consejo: ____

____

3ª persona: David J. (43 años de edad)

"¡No sé qué hacer! La policía acaba de detener por tercera vez a mi hijo Gabriel y en este momento está en la cárcel. La primera vez no fue una cosa muy seria, sólo una ratería en una tienda. Pero esta vez ha forzado un almacén y ha robado un televisor. Tiene sólo diecisiete años. Su madre y yo hemos tratado de educarlo bien; le hemos hablado mil veces y hasta lo llevamos a que lo viera un sicólogo, pero no ha servido para nada. Es nuestro único hijo y sus acciones nos van a volver locos. Ayúdenos, por favor. ¿Qué me aconseja?"

Consejo: ____

____

4ª persona: Lisa S. (19 años de edad)

"Mi mejor amiga, Teresa, es toxicómana. Tiene la misma edad que yo y somos amigas desde muy jóvenes. Teresa se fía de mí y yo de ella. Hemos hecho todo lo que hacen las buenas amigas. Incluso empezamos a experimentar con drogas hace un par de años. ¡Cuánto me pesa haberlo hecho! Yo las dejé pero mi amiga no ha podido. Ahora está tan continuamente drogada que a veces ni siquiera me reconoce. Sus padres están a punto de echarla de casa. Me temo que ella cometa algún crimen para poder comprar drogas. Necesito ayudarla pero no sé qué hacer."

Consejo: ____

____

5ª persona: Carlota T. (36 años de edad)

"¡Estoy desesperada! Sé que mi marido anda en relaciones con otras mujeres, pero no puedo impedirlo. Me divorciaría de él al instante, pero tengo cuatro hijos a quienes criar y sé que él no me daría ni un céntimo. Dejé el colegio antes de graduarme así que no tengo formación para obtener un buen empleo. Necesito el apoyo económico de ese mentiroso, pero cuanto más lo veo, tanto más lo odio. ¿Qué va a ser de mí?"

Consejo: ____

____

Problema XXIV: ¿Qué programas escolares se van a eliminar?

Vocabulario

acomodado well-to-do
ayudante (m.) aide
beca scholarship
encargarse de to look after, take charge of
gozar (de) to enjoy
intercambio exchange
proporcionar to provide
suprimir to eliminate

La situación

Se ha aprobado en el estado donde viven Uds. una nueva ley que reduce en una mitad los impuestos sobre la propiedad. Por consiguiente, será necesario reducir en $500.000 el presupuesto de la escuela secundaria de su ciudad. El director ha formulado una lista de los programas que pueden ser suprimidos. Como miembros de la Administración de Escuelas, Uds. tienen la responsabilidad de determinar cuáles de los programas se van a eliminar o reducir.

Consideraciones

1. La escuela secundaria tiene actualmente 2.000 alumnos y es la única de la ciudad.

2. Está prohibido por ley reducir el salario de los maestros.

3. Donde sea posible, eliminen ciertos programas por completo. El director cree que esto es preferible a reducir proporcionalmente el presupuesto de todos los programas.

Decisiones

1. Eliminar el programa de educación física ($50.000 por año): Actualmente se requiere que cada alumno participe en algún deporte (gimnasia, natación, etc.) una hora al día.

   Decisión ______________________________

   Explicación ______________________________

2. Eliminar el programa de actividades no académicas ($75.000 por año): Este programa se encarga de estadios y materiales para los equipos de baloncesto, béisbol, fútbol americano y natación, y costea sus viajes fuera de la ciudad. También subvenciona los viajes de la banda, la orquesta, el coro y varios clubs, tales como los de debate y de ajedrez.

   Decisión ______________________________

   Explicación ______________________________

3. Reducir el plan básico de estudios ($100.000 por año), concretamente
   a. Eliminar el cuarto año de inglés.
   b. Eliminar el cuarto año de matemáticas.
   c. Eliminar todos los cursos de periodismo y drama.

   Decisión ______________________________

   Explicación ______________________________

4. Eliminar el programa de lenguas extranjeras ($50.000 por año): La escuela tiene un departamento de idiomas extranjeros que ofrece enseñanza del francés, español y alemán. Mantiene un laboratorio de lenguas muy moderno, uno de los mejores del estado.

   Decisión ______________________________

   Explicación ______________________________

5. Eliminar el servicio de autobuses para los alumnos ($50.000 por año): Unos 300 alumnos viven fuera de la ciudad y otros 200 viven demasiado lejos de la escuela para poder ir a pie. Por eso se mantiene un servicio de autobuses para el veinticinco por ciento de los alumnos.

   Decisión ________________________________

   Explicación ________________________________

6. Reducir el programa de almuerzos ($50.000 por año): La escuela proporciona a precio bajo ($0.75) un almuerzo nutritivo a todos los alumnos que lo deseen, incluso a los de familias acomodadas. Limitando el apoyo económico a los alumnos verdaderamente necesitados, se podría ahorrar aproximadamente $50.000.

   Decisión ________________________________

   Explicación ________________________________

7. Eliminar el programa de intercambio de alumnos con el extranjero ($10.000 por año): Cada otoño algunos alumnos mexicanos y alemanes vienen a vivir con una familia americana y asisten a esta escuela por un semestre. En la primavera varios alumnos de la escuela pasan un semestre en México o en Alemania. La escuela ayuda a éstos con becas que pagan el viaje.

   Decisión ________________________________

   Explicación ________________________________

8. Reducir el número de maestros ($150.000 por año): El éxito del que ha gozado la escuela se debe en parte a la proporción relativamente favorable de 25 alumnos por maestro. Si se despide a diez maestros, la proporción será aproximadamente de 30 a 1.

   Decisión ______________________________

   Explicación ______________________________

9. Eliminar las clases de verano ($50.000 por año): Actualmente los estudiantes que son suspendidos en una asignatura pueden repetirla durante el verano. Además, en el verano se ofrecen clases de música, arte y natación asequibles a todos los residentes de la ciudad.

   Decisión ______________________________

   Explicación ______________________________

10. Eliminar a los ayudantes ($50.000 por año): La escuela emplea a 32 ayudantes que trabajan parte del día con los alumnos que tienen algunas dificultades especiales. Por ejemplo, hay 6 tutores que dan instrucción individual a los alumnos cuya lengua materna no es el inglés.

    Decisión ______________________________

    Explicación ______________________________

11. Reducir el número de administradores ($150.000 por año): Hay 15 puestos administrativos, además del director. Por ejemplo, hay un sub-director para cada clase o año y 4 consejeros académicos que ayudan a los alumnos a planear su programa de estudios.

    Decisión ______________________________

    Explicación ______________________________

12. Sugerencia de Uds. ¿Qué programa adicional les parece innecesario?

    Decisión ______________________________

    Explicación ______________________________

Problema XXV: Planear una estación turística

Vocabulario

aparcamiento parking lot
artesanía handicraft
bahía bay
divisas foreign exchange
ferretería hardware store
heladería ice cream shop
hospedarse to stay, lodge
joyería jewelry store
jubilado retired
litoral (m.) coastline, seashore
lucrativo profitable
lujo luxury
mueblería furniture store
pastelería pastry shop
particular private
peluquería barber shop
piscina pool
tabaquería cigar store
tintorería dry cleaner's

La situación

El suyo es un país latinoamericano dotado de un litoral magnífico y un clima tropical. Uds., los miembros de una comisión planificadora, han sido encargados de planear una estación turística completamente nueva. El propósito es atraer a los turistas para que traigan divisas al país y provean trabajo a la gente. La estación se situará en una península que se halla entre el mar y una bahía.

Consideraciones

1. El área total de la estación turística será de unas 12 millas cuadradas (31 kilómetros cuadrados).

2. La estación tendrá capacidad para un total de 25.000 personas, contando tanto a los turistas como a los residentes permanentes que los vayan a atender.

3. Uds. quieren evitar la fealdad y la comercialización de muchas urbanizaciones modernas pero, claro está, es preciso ofrecer atracciones que resulten lucrativas.

Decisiones

1. Indiquen el tipo de turistas que Uds. quieren atraer, empezando con la categoría más deseable: personas solteras; parejas jóvenes, sin niños; familias; personas jubiladas; ¿otra categoría?

a. ____________________ d. ____________________

b. ____________________ e. ____________________

c. ____________________

Explicación ____________________

____

2. ¿Qué porcentaje de la gente se hospedará en cada uno de estos tipos de alojamiento?

a. Hoteles de gran lujo ____ % d. Apartamentos ________ %

b. Hoteles de 1ª clase ______ % e. Campings ____________ %

c. Hoteles económicos ____ % f. ¿Otro? ______________ %

Explicación ____________________

____

3. Elijan el sistema de transporte público que se establecerá:

a. Sólo taxis ____________ d. Taxis, autobuses, bicicletas,

b. Taxis y autobuses ________ autos particulares ________

c. Solamente bicicletas ______ e. ¿Otra posibilidad? ________

Explicación: ____________________

____

4. Decidan la importancia de las siguientes facilidades o áreas públicas: (1 = esencial; 2 = deseable; 3 = innecesaria)

a. Parque ____

b. Hospital ____

c. Jardín botánico ____

d. Biblioteca ____

e. Piscina pública ____

f. Museo de arte indígena ____

g. Casino ____

h. Centro cultural ____

i. Centro deportivo ____

j. campo público de golf ____

k. Aeropuerto para aviones particulares ____

l. Un aparcamiento ____

m. Plaza de toros ____

Explicación: ____

____

5. Habrá unas zonas de tiendas para servir a los turistas. He aquí una lista de establecimientos que puedan incluirse allí. Escojan los cinco que les parezcan más útiles y expliquen su selección:

cafetería
tienda de artesanía
librería
restaurante
pastelería
cine
ferretería
tienda de deportes
heladería
supermercado
peluquería
joyería
farmacia
tienda de plantas
tintorería
bar
tabaquería
discoteca
banco
mueblería
carnicería

(1) ____

(2) ____

(3) ____

(4) ____

(5) ____

Explicación ____

____

Problema XXVI: ¿Qué normas debemos establecer para la TV?

Vocabulario

agonizante dying
anunciante (m.f.) advertiser
calumniar to defame
chiste (m.) **verde** off-color joke
dañoso harmful
derrumbamiento destruction, overthrow
ensalzar to extol
matrimonio married couple
mofarse (de) to scoff (at)
realizador (m.) (TV) producer
revisar to review
televidente (m.f.) TV viewer
terremoto earthquake

La situación

El público se muestra cada vez más preocupado por el nivel de los programas que se televisan hoy día. Muchos televidentes creen que hay un exceso de violencia, pornografía y lenguaje indecente que puede tener una influencia dañosa, sobre todo en los niños y jóvenes. Las redes de emisoras han recibido un montón de cartas que piden un control más rigoroso de la programación. Accediendo a estos ruegos, la industria televisiva ha propuesto la creación de un nuevo "código universal de normas televisivas". Uds., representantes de redes, realizadores y anunciantes, tienen que preparar el sistema para clasificar las materias.

Consideraciones

1. Las normas se aplicarán a todo tipo de programa: espectáculos, telediarios, series y programas especiales.

2. Para evitar confusión es importante expresarse con claridad.

3. Para cada uno de los asuntos enumerados a continuación, decidan Uds. si debe ser:
   a. Totalmente prohibido
   b. Permitido en ciertas circunstancias (por ejemplo, a ciertas horas, en cierto tipo de programa, etc.). Hay que indicar concretamente en qué circunstancias.
   c. Permitido sin restricciones

Decisiones

A. Clasifiquen Uds. cada asunto con a, b o c y den las razones:

Aspecto 1: lenguaje e ideas

1. Lenguaje obsceno (hay que definir "obsceno") ___________
   ____
2. Chistes verdes, sin lenguaje obsceno ___________________
3. Observaciones (serias o cómicas) que degraden un grupo étnico, racial o religioso ________________________
4. Observaciones que calumnien a alguna persona __________
   ____
5. Comentarios a favor del comunismo o del fascismo _______
   ____
6. Comentarios que ensalcen el ateísmo o se mofen de la religión
   ____
7. Comentarios que inciten al derrumbamiento del gobierno
   ____
8. ¿Otro? _______________________________________

Aspecto 2: violencia y sexualidad

1. Escenas que presenten crueldad con los animales ________
   ____
2. Escenas en que personas mayores golpeen a niños _______
   ____

3. Escenas en que las personas empleen armas para herirse unas a otras ______

4. Escenas que presenten torturas u homicidios ______

______

5. Escenas de desastres en que se vean víctimas agonizantes o muertas (como terremotos, bombardeos, accidentes de aviación, etc.) ______

6. Escenas en que se abracen amorosamente un hombre y una mujer ______

7. Escenas que presenten a una pareja en la cama ______

______

8. Escenas en que aparezcan personas desnudas ______

______

9. ¿Otro? ______

B. Escojan Uds. la mejor manera de hacer efectivas las normas:

1. Debe haber un consejo de censura para toda la industria, con poder para aprobar o desaprobar todo programa antes de que se televise.

2. Cada red o emisora debe tener su propia censura.

3. Será la responsabilidad de los realizadores conformarse voluntariamente con las normas. Los censores no revisarán los programas a menos que los realizadores se lo pidan.

Manera preferida: ______

Explicación: ______

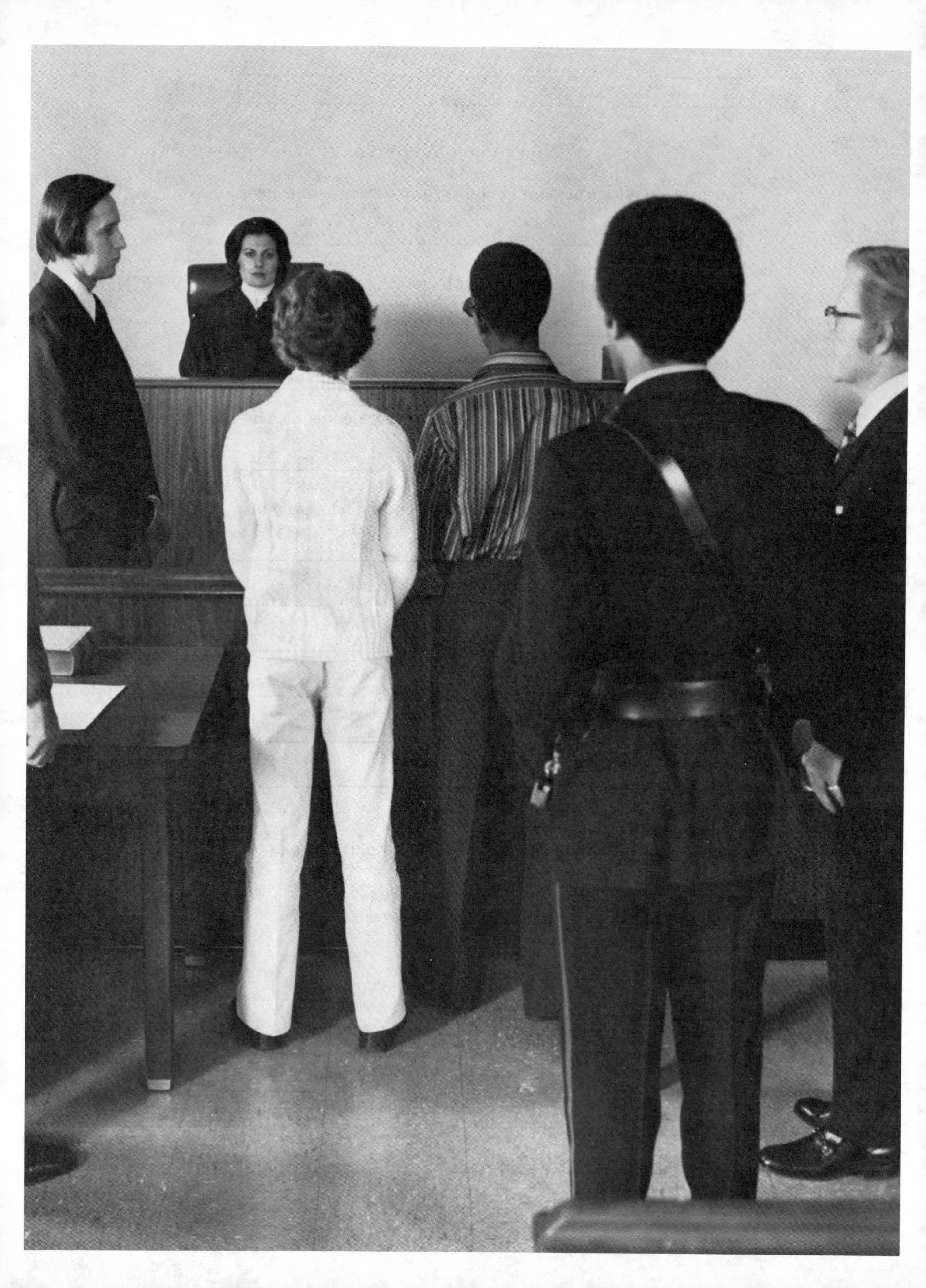

Problema XXVII: ¿A qué acusado se debe juzgar primero?

Vocabulario

alborotado animated, worked up
aplazar to postpone
apuñalar to stab, knife
bombero fireman
cojo crippled
demente (adj.) crazy; (n.) crazy person
desechar to drop, throw out
deslumbrado dazzled
dimisión resignation
estafador swindler
experimentado experienced
fehaciente reliable
fianza bail, bond
fiscal (m.) prosecutor
fiscalía prosecutor's office
indulto pardon
inquilino tenant
malversar to embezzle
pelea fight
presenciar to witness
toxicomanía drug addiction

La situación

Uds. son empleados de la fiscalía de la ciudad. Actualmente no hay bastante personal ni fondos para procesar todos los casos en su jurisdicción y por eso Uds. han decidido aplazar algunos y desechar otros. Pero quedan pendientes seis casos importantes que Uds. creen deben ser atendidos por los tres fiscales más experimentados. A medida que cada fiscal termine el proceso que tiene entre manos, podrá encargarse de otro nuevo. Uds. tienen que ordenar los casos según su importancia, para que los más apremiantes sean juzgados primero.

Consideraciones

1. Aunque Uds. consideren que cierto individuo es peligroso, muchas veces el juez pone al acusado en libertad bajo fianza mientras espera el proceso.

2. Al pasar el tiempo es posible que algunos testigos desaparezcan o mueran, lo cual puede dificultar el juicio.

3. Si hay largas demoras, posiblemente habrá que retirar algunas acusaciones, ya que la Constitución promete a todo acusado un pronto juicio.

Decisiones

Caso 1: En los últimos seis meses los residentes de la ciudad se han horrorizado ante una serie de asaltos cometidos en las calles del barrio norte. El "Demente del Norte" ha atacado con cuchillo a personas de todas las edades, desde los 15 hasta los 80 años. Como resultado de los ataques, existe una histeria casi incontrolable en el barrio y la gente no se atreve a salir de casa. Hace dos semanas los agentes de policía capturaron a un hombre que intentaba apuñalar a una anciana, y dos de las previas víctimas lo han identificado como su asaltante.

Orden de importancia: ____________________

Razón: ____

Caso 2: Hace unos meses que el alcalde de la ciudad presentó su dimisión después de ser acusado de malversar fondos públicos. Desde entonces las investigaciones llevadas a cabo por dos periodistas indican que probablemente robó a la ciudad unos 4 millones de dólares. La fiscalía ha recibido numerosas llamadas y cartas que demandan que se proceda rigurosamente contra el ex-alcalde.

Orden de importancia: ____________________

Razón: ____

Caso 3: Hace cinco años que se intensifica el problema de la toxicomanía entre los jóvenes de la ciudad. El año pasado hubo seis muertes causadas por las drogas. Un chico de 13 años murió de una dosis excesiva de heroína. Ahora la policía cree que tiene bastantes pruebas para condenar al jefe de la banda que vendió las drogas a los jóvenes.

Orden de importancia: ____________________

Razón: ____

Caso 4: Hace año y medio un policía detuvo a un joven chicano (de 19 años de edad) bajo sospecha de haber robado el automóvil que conducía. Hubo una pelea durante la cual el policía sacó el revólver y le hirió en la pierna. Como resultado el joven quedó cojo. Después de una larga consideración de los hechos, las autoridades han determinado que el policía debe ser procesado por conducta indebida. La comunidad chicana, alborotada por lo que considera un caso de "brutalidad policial", reclama acción inmediata.

Orden de importancia: ____________________

Razón: ____

Caso 5: Durante el año pasado muchos edificios ruinosos de un barrio pobre han quedado destruidos por una serie de incendios. Se sospecha que algunos propietarios de los edificios, deseosos de cobrar seguros, son los instigadores de estos incendios. Recientemente un joven se presentó a la policía y, lleno de remordimiento, confesó que uno de los propietarios le había empleado para prender fuego a dos casas de pisos. Afortunadamente nadie murió, pero varios inquilinos y un bombero tuvieron que ser hospitalizados. A cambio de un indulto, el joven dejó que dos detectives presenciaran secretamente la cita en que el dueño de los edificios le pagaba por lo hecho. Poco después detuvieron al propietario.

Orden de importancia: ____________________

Razón: ____

Caso 6: Ha habido en la ciudad un grupo de estafadores que vendían por teléfono acciones de compañías mineras de oro poco recomendables. Muchas personas crédulas, deslumbradas por la promesa de riquezas incalculables, mandaron dinero y, claro está, lo perdieron. Por fin los detectives han obtenido lo que ellos creen ser pruebas fehacientes del fraude y hace dos meses que los acusados están esperando el juicio.

Orden de importancia: ____________________

Razón: ____

Problema XXVIII: Cuestiones muy difíciles o imposibles de resolver

Vocabulario

anillo ring
índole (f.) nature
superficie (f.) surface

La situación

Hasta ahora Uds. han ayudado a resolver una serie de problemas difíciles. Pero sin duda existen algunos problemas que no tienen solución y preguntas a las que no hay respuesta. Las cuestiones de carácter filosófico pueden resultar más difíciles que los problemas científicos o tecnológicos. Por ejemplo, las investigaciones espaciales han resuelto o podrán resolver misterios como “¿En qué consiste la superficie de la luna?” o “¿Qué son los anillos de Saturno?”, pero hace miles de años que los filósofos preguntan “¿Qué es la hermosura?” sin llegar a una respuesta adecuada. Para terminar el libro, les queda a Uds. una última tarea, la de pensar en diez preguntas importantes que Uds. consideren dificilísimas, quizás imposibles de contestar. También tienen que indicar la causa de dicha dificultad.

Consideraciones

1. Las preguntas no deben ser de índole muy técnica, ya que es importante que todos las entiendan.

2. Para dar diversidad, traten de relacionar sus preguntas con varias esferas de interés, como, por ejemplo, las que siguen:

religión	física	literatura
filosofía	economía	sociología
medicina	sicología	matemáticas
antropología	astronomía	

Decisiones

1. Esfera de interés: ______________________

   Pregunta: ______________________

   Causa de la dificultad: ______________________

2. Esfera de interés: ______________________

   Pregunta: ______________________

   Causa de la dificultad: ______________________

3. Esfera de interés: ______________________

   Pregunta: ______________________

   Causa de la dificultad: ______________________

4. Esfera de interés: ______________________

   Pregunta: ______________________

   Causa de la dificultad: ______________________

5. Esfera de interés: ______________________

   Pregunta: ______________________

   Causa de la dificultad: ______________________

6. Esfera de interés: ______________________

   Pregunta: ______________________

   Causa de la dificultad: ______________________

7. Esfera de interés: ______

   Pregunta: ______

   Causa de la dificultad: ______

8. Esfera de interés: ______

   Pregunta: ______

   Causa de la dificultad: ______

9. Esfera de interés: ______

   Pregunta: ______

   Causa de la dificultad: ______

10. Esfera de interés: ______

    Pregunta: ______

    Causa de la dificultad: ______

VOCABULARY

The vocabulary does not include (a) most of the first 500 words in the Hayward Keniston "A Standard List of Spanish Words and Idioms" (Boston, D. C. Heath, 1941); (b) cardinal and ordinal numbers; (c) names of the days and months; (d) regularly formed adverbs; (e) personal and demonstrative pronouns; (f) regularly formed diminutives if the meaning is clear; (g) easily recognizable cognates.

Verbs are listed in the infinitive form, with radical changes indicated in parentheses. Adjectives are given in the masculine. Gender is not indicated for masculine nouns ending in *-o, -or* (referring to people) and feminine nouns ending in *-a, -d, -ión.*

A dash indicates repetition of the key word. Meanings are given only as they relate to the text.

The following abbreviations are used:

adj. = adjective
f. = feminine
m. = masculine
n. = noun
pl. = plural

abajo below
abogado lawyer
abonado subscriber
abrazar(se) to embrace (each other)
acabar; _____ de to have just; **_____ con** to put an end to
acción action, stock, share
aceite (m.) oil
aceptación acceptance
acero steel
acogedor hospitable, friendly
acomodado well-to-do
aconsejar to advise
acordar (ue) to agree; **_____ se** to remember
acto; en el _____ at once
actual present, current
adinerado wealthy, well-off
afilado sharp, sharpened
afrontar to face
agencia; _____ de viajes travel agency; **_____ de publicidad** advertising agency
agonizante dying
agotar to exhaust, use up
agudo sharp
ahí; de _____ hence
ahora; de _____ en adelante from now on
ahorrar to save
ajedrez (m.) chess
ajeno someone else's
alborotado animated, worked up
alcalde (m.) mayor
alcoba bedroom
alemán German
aliado ally
alienado insane, mentally ill
almacén (m.) warehouse, store
almuerzo lunch
alojamiento lodging
alpinismo mountaineering, climbing
alquilar to rent
ambiental environmental
ambiente (m.) atmosphere, environment
ámbito field, sphere
amenaza threat
amenazar to threaten
ameno pleasant, agreeable
analfabeto illiterate
anfitrión, -a host, hostess
anillo ring
antemano; de _____ in advance, beforehand
antirrobo; alarma _____ burglar alarm
anunciante (m.f.) advertiser
anuncio announcement, advertisement
aparato appliance
aparcamiento parking lot
aplazar to postpone
apoderarse (de) to seize
apoyo support
apremiante pressing
aprobar (ue) to approve
apuesta bet, wager
apuñalar to stab, knife

artesanía handicraft
articulista (m.f.) columnist
asaltante (m.f.) assailant, attacker
asalto; ______ a mano armada armed assault
ascendencia origin, ancestry
ascender to promote
asequible available
asesinato murder, assassination
asesor adviser, consultant
asignatura course, class
asilo de viejos old people's home
asistencia social welfare
asistente (m.) **social** social worker
astro star
asumir assume, take on
asunto matter, affair
atender (ie) to care for, take care of
atenerse (a) to abide (by)
aterrizar to land
atracar to dock
atraer to attract
atravesar (ie) to cross
atrayente attractive
atreverse to dare
aumentar to increase
auxilio aid, assistance
avión (m.) airplane
avisar to inform
ayudante (m.) aide, helper
ayuntamiento city hall

bahía bay
baloncesto basketball
balonmano handball
bañar to bathe
barco de reconocimiento reconnaissance ship
barrio district, quarter
basura garbage
beca scholarship
biblioteca library
bienes raíces (m.pl.) real estate
bienvenida welcome; **dar la ______** to welcome
billar (m.) billiards
bodega grocery store
bolos (m.pl.) bowling
bombardeo bombing
bombero fireman
bono bond
botella bottle
brújula compass
buque (m.) boat, ship
burlarse (de) to make fun (of)
busca search

caber to fit
cabida capacity
cadena perpetua life imprisonment
caja box
calificación grade
calumniar to defame
cambio change; **a ______ de** in exchange for
campaña campaign
campesino peasant, farmer
cantante (m.f.) singer
caña de pescar fishing rod
cárcel (f.) jail, prison
carecer (de) to lack
cargar to load
carnicería butcher shop
caro expensive
carrera career; **______ en pista** track (racing); **caballo de carreras** racehorse
carretera highway
cartón (m.) cardboard
caso; hacer ______ de to pay attention to
castigar to punish
castigo punishment
catedrático professor
celos; tener ______ to be jealous
cena supper, evening meal
cenar to dine, eat supper
central (f.) **electrica** power station
cepillo de dientes toothbrush
cercano close
ciclismo cycling
científico (n.) scientist
cine (m.) movies, cinema
cinta tape
cirugía surgery; **______ estética** plastic surgery
cirujano surgeon
cita meeting
ciudadano citizen
claro of course
clavo nail
clima (m.) climate
cobrar to collect, charge
cocina cooking, stove, kitchen
coche (m.) car, automobile
código code
cojo crippled, lame
colegio secondary school
comestible (m.) foodstuff
compartir to share
competencia competition
comportarse to behave
compra purchase
concretar to be specific, specify
concurso contest, quiz show

conducir to drive
confianza confidence; **de ______** reliable, trustworthy
consejero adviser
consejo advice, council
consiguiente; por ______ therefore
consultorio office (of a doctor)
consumo consumption
contar con to count on
continuación; a ______ below, later
contratiempo mishap
convenir to be suitable
corralillo playpen
correo mail
corriente (f.) current
costear to pay for, defray the cost of
crecer to increase
crianza rearing
criar to rear
cuadrado square
cuadrar to fit, be suitable
cuantía amount, quantity
cuantioso substantial
cuanto; en ______ a with regard to; **cuanto . . . tanto** the more . . . the more
cuchillo knife
cuenta; tener en ______ to take into account; **dar ______** to inform; **______ de ahorros** savings account
cuerda rope
cuidado care; **tener ______** to be careful
cuidadoso careful
cuidar to care for
cuna; canción de ______ lullaby
cursar to study

charlar to chat, talk
chiste (m.) joke; **______ verde** dirty story
choza hut
chupar to suck
chupete (m.) pacifier

dañar to harm
daño harm
dañoso harmful
deber (m.) duty
debido proper, due, just
dedicarse to devote one's self
delito crime, offense
demente (adj.) crazy; (n.m.f.) crazy person
demora delay
deporte (m.) sport
derrumbamiento destruction, overthrow
desaparecer to disappear
desaprobar (ue) to disapprove
desarrollar to develop
descanso rest
descuido carelessness, negligence
desde luego of course
desechar to drop, throw out
desgastado worn out
desgraciado unfortunate
deslumbrado dazzled
desnudo naked
despedir (i) to say goodbye, discharge, fire
despegar to take off
destacado outstanding
destierro exile
desventaja disadvantage
detener to detain, hold
devolución return
devolver (ue) to return
dibujo animado cartoon
difamación slander
dignatario dignitary
dimisión resignation
dinero money
dirigente (adj.) leading
disco record
disculpa apology
diseñar to design
disminuir to decrease, lessen
disponible available
distar to be distant
divisas (pl.) foreign exchange
doblar to dub
dominar to have a command of, be fluent in
dormitorio bedroom
dotar to endow
droga drug
dueño owner
duradero lasting
durar to last

editorial (f.) publishing house
efectuar to carry out
eficacia effectiveness
ejercer to practice (as a doctor)
ejército army
elegir (i) to choose, elect
elogiar to praise
embajador ambassador
embarazo pregnancy
embriaguez (f.) drunkenness
emisión broadcast, program
emisora broadcasting station
emitir to broadcast
empeorar to worsen, make worse
empleado employee
empleo employment
emprender to undertake
encarcelar to imprison

encargar to commission; ______ **se de** to take charge of
encerrar (ie) to lock up, shut up
encinta pregnant
enfermedad (f.) illness, sickness
enfermera nurse
enfoque (m.) focus, approach
enlazar to link, connect
ensalzar to extol
enseñanza education, instruction
entrada entry, admission ticket
entrevista interview
envejecer to grow old
envío shipment
equipo team
equitación horseback riding
escala stop-over
escasez (f.) lack, scarcity
escoger to choose
escolar (adj.) school
espacial (adj.) space, of space
espacio publicitario advertising spot
espada sword; **estar entre la** ______ **y la pared** to be caught in an impossible situation
espejo mirror
esquí (m.) skiing; ______ **acuático** water skiing
establecer to establish
estación turística tourist resort
estadio stadium
estancia cattle ranch
estallar to break out
evitar to avoid
excursionismo hiking
éxito success; **tener** ______ to be successful
experimentado experienced
extranjero foreigner, foreign countries, abroad

fábrica factory
fabricar to manufacture, make
facultad school, college
falta; hacer ______ to be necessary
faltar to be lacking
fealdad ugliness
fecha date
fehaciente reliable
ferretería hardware store
ferrocarril (m.) railroad
fianza bail, bond
fiarse (de) to trust
fidedigno trustworthy
fin (m.) end; **a** ______ **de** in order to; **por** ______ finally
final; a finales de at the end of
fiscal (m.) prosecutor; (adj.) **evasión** ______ tax evasion
fiscalía prosecutor's office
fomentar to foment, encourage
fondo fund
forense legal
forzar (ue) to break in
fósforo match
fracaso failure
funcionamiento functioning, operation
funcionario employee, civil servant
fusil (m.) gun, rifle
fútbol (m.) soccer; ______ **americano** football

gafas glasses
gana; de buena ______ willingly
ganancia gain, profit
gasto expense
gerente (m.) manager
gimnasia gymnastics
golpear to beat
gozar (de) to enjoy
grabar to record
granja farm
gratuito free, free-of-charge
guía guide (book), directory

haber; ______ **de** to be supposed to; **he aquí** here is, are; **hay que** it is necessary
habla (n.) speech
hacerse to become
hacienda; Ministerio de H______ Finance Department
hacha axe, hatchet
hadas; cuento de ______ fairy tale
hecho (n.) fact, deed
heladería ice-cream shop
heredar to inherit
herencia inheritance
herir (ie, i) to wound
hermosura beauty
hielo ice
hipoteca mortgage
hispanoparlante Spanish-speaking
historial (m.) background
horario schedule
horrorizarse to be horrified
hospedarse to stay, lodge

idear to design, invent
idioma (m.) language
imparcialidad fairness
impedir (i) to prevent
impensable unthinkable
impermeable (m.) raincoat

imponible taxable
imprimir to print
impuesto tax
inadvertido inadvertent
incendio fire; ______ **malicioso** arson
inconveniente (m.) disadvantage, objection
incumbir to be incumbent upon
indebido improper
indígena (adj.) native
indocumentado without papers or documents
índole (f.) kind, nature
indulto pardon
inequívoco unambiguous
informe (m.) report, statement; (pl.) information, data
ingeniero engineer
ingreso; examen de ______ entrance examination
inquilino tenant
instante; al ______ at once
intercambio exchange
inversión investment
invertir (ie, i) to invest
invitado guest

jabón (m.) soap
japonés Japanese
jardín (m.) **de infancia** kindergarten
jefe (m.) chief
joyería jewelry store
jubilado retired
juego gambling
juez (m.) judge
juguete (m.) toy
juicio judgment, trial
junta consultiva advisory board
juntarse (con) to join

laboral; día ______ week-day
lámpara lamp
lema (m.) slogan
lentes (m.pl.) **de contacto** contact lenses
lento slow
lesión injury
levantamiento de pesos weight lifting
leve light
libertar to set free
librería book store
lícito permissible
litoral (m.) coastline, seashore
locutor announcer
lograr to get, obtain
logro accomplishment
loro parrot
lucrativo profitable
lucha libre wrestling
lujo luxury
luz (f.) light

llamamiento appeal
llano plain, straightforward
llegar a ser to become
llenar to fill
llevar to carry, take; ______ **se bien** to get along well; ______ **misión** to be on a mission; **lleva un año** (he) has been a year; ______ **a cabo** to carry out
lluvia rain

maestro teacher
magnetofón (m.) tape recorder
maíz (m.) corn
malgastar to squander, waste
malversar to embezzle
manejar to drive
mantener to support
máquina de escribir typewriter
maquinilla de afeitar razor
marca brand
martillo hammer
matemático mathemetician
matricular (se) to enroll, register
matrimonio married couple
mazorca corncob
mecer to rock
medianoche (f.) midnight
medida measurement; **a** ______ **que** as
medio (adj.) average; (n.) means
mejorar to improve
menos; por lo ______ at least; **al** ______ at least; **a** ______ **que** unless
mensual monthly
mentiroso (n.) liar
mercado market
millón (m.) million; **mil millones** billion
mimado spoiled
Ministerio de Energía Department of Energy
miope (adj.) nearsighted
mitad (f.) half
módico moderate, reasonable
moneda coin
montón (m.); **un** ______ **de** lots of, an abundance of
motivo reason
mueblería furniture store
muestra sample
multa fine
mundial (adj.) world, world-wide
muñeca doll
mutilado de guerra war-wounded, cripple

nacer to be born
nariz (f.) nose
natación swimming
navaja pen knife, folding knife
negarse (ie) a to refuse to
negocio business
nieto grandson, grandchild
niñera nursemaid, sitter
nivel (m.) level
nota grade
noticia news
novio sweetheart

odiar to hate
oferta offer
olla pot, pan
ordenar to arrange, put in order
oso bear

pala shovel
palo stick, pole
pancarta placard
pantalla screen
pañal (m.) diaper
papel (m.) paper, role
par (m.) pair
parar to stop
pared wall
pareja couple, pair
pariente (m.) relative
parque (m.) **de atracciones** amusement park
particular private
partir to leave
pasajero fleeting, transient
pasmado astonished
pasta dentífrica toothpaste
pastelería pastry shop
pastor minister
patinaje (m.) skating; ______ **de ruedas** roller skating
pediatría pediatrics
pegar to hit
pelea fight
película film
peligroso dangerous
pelota ball; ______ **vasca** jai alai (Basque ball game)
pena de muerte death penalty
penalidad penalty
pendiente pending
periódico newspaper
periodismo journalism
periodista (m.f.) journalist
personal (m.) personnel, staff
pesar to weigh, to distress; **a** ______ **de** in spite of
petrolífero oil-bearing
piedra angular cornerstone
pierna leg
piragüismo canoeing
piscina (swimming) pool
piso apartment
planificador (adj.) planning
plantear to raise, pose
plaza de toros bullring
plazo; a largo ______ long-term
población population
política politics, policy
portátil portable
porvenir (m.) future
pozo well
precio price, cost
preferente preferable
premio prize
prender fuego to set fire
preocupado worried
presenciar to witness
préstamo loan
prestatario borrower
presupuesto budget
principio; en un ______ at first
privar to deprive, take away
pro; en ______ **de** in favor of
probeta test tube
procedimiento procedure
procesar to try, put on trial
proceso trial, action, proceeding
programación programming
promedio average
pronosticar to predict
propaganda advertising
propiedad property
propietario owner, landlord
propio one's own
proponer to propose
proporcionar to provide
propósito purpose
propuesta proposal
proteger to protect
provecho; de ______ useful
provechoso profitable, useful
proveer to provide
próximo next
prueba proof, evidence
puesto (n.) place, position
pulgada inch
punto de vista point of view

quejoso complaining, fussy
química chemistry